PAARDEN, WIND EN ZON

Federica de Cesco bij Facet:

Federica de Cesco

Paarden, wind en zon

facet

Antwerpen
2002

CIP GEGEVENS KONINKLIJKE BIBLIOTHEEK - DEN HAAG
C.I.P. KONINKLIJKE BIBLIOTHEEK ALBERT I

Cesco, Federica de

Paarden, wind en zon / Federica de Cesco [vertaald uit het
Duits door Emmy Middelbeek]. – Antwerpen: Facet, 2002
Oorspronkelijke titel: Pferde, Wind und Sonne
ISBN 90 5016 345 9
Doelgroep: Paarden, vakantie, Camargue (Frankrijk)
NUR 283

Wettelijk depot D/2002/4587/18
Omslagontwerp: Michel Gruyters
Copyright © 2001 by Arena Verlag GmbH, Würzburg
Copyright © Nederlandse vertaling: Facet nv

Eerste druk maart 2001

1

Half zeven: Karin schrok wakker van het luide gerinkel van de wekker. Ze kreunde slaperig, strekte haar hand uit om dat stomme ding het zwijgen op te leggen en kroop weer onder haar dekbed. Meestal kwam nu haar moeder en trok de piepende jaloezie omhoog, om haar vervolgens uit bed te jagen. Vanmorgen gebeurde er echter niets. Heel langzaam drong het tot Karin door dat dit haar eerste vakantiedag was. Zonder nadenken en uit gewoonte had ze gisteravond de wekker gezet.

Genietend deed ze haar ogen weer dicht en probeerde verder te slapen. Het lukte echter niet. Er kierde licht naar binnen, het rode verkeerslicht op de hoek van de straat hield het verkeer tegen, in de badkamer zoemde het scheerapparaat van haar vader. Karin was in gedachten bij dat wat ze vandaag wilde doen: slipjes en sokken wassen, T-shirts uitzoeken, strijken of weggooien. Haar moeder had haar een nieuwe spijkerbroek en nieuwe laarzen beloofd. Ze moest zelf iets kopen voor Mireille, en voor Alain, de onbekende broer van Mireille. Wat kon je eigenlijk meenemen voor een jongen van veertien? Ze moest ook nog naar het station om een kaartje te kopen, want morgen zou ze op reis gaan naar Frankrijk. Ze zou de hele maand juli doorbrengen op een 'Mas' in de Camargue!

De badkamer was vrij. Karin gooide het dekbed af en sprong uit bed. Ze douchte snel en poetste haar tanden. Eigenlijk had ze haar haren moeten wassen, maar daar had ze nu geen tijd voor. Haastig schoot ze in haar spijkerbroek en trok een schoon T-shirt aan. Ze holde naar de keuken, waar haar moeder koffie aan het zetten was. Haar moeder droeg een rode badjas en haar kortgeknipte haren waren nog nat van het douchen.

'Ben je al op?' vroeg ze verbaasd. 'Ik dacht dat je wel uit zou slapen.'

'Ik had de wekker gezet, stom hè?' Karin liet zich op een stoel zakken en deed twee boterhammen in de broodrooster. 'Wat heb ik een trek!'

'Trek?' deed haar moeder spottend. 'Zo ineens! En anders heb je de grootste moeite om 's morgens iets naar binnen te werken!'

'In de vakantie is dat anders.' Karin schonk voor iedereen koffie in. 'Vanmorgen moet ik zoveel doen!'

Neuriënd over 'The Yellow Submarine' kwam haar vader binnen. In tegenstelling tot de rest van het gezin was hij 's morgens altijd in een opperbeste stemming.

'Goedemorgen vogeltje! Ben je al wakker? Zeker last van reiskoorts?' De boterhammen sprongen uit de broodrooster. Karin besmeerde ze met boter en aardbeienjam.

'Mama, mag ik wat geld zodat ik die spullen kan kopen?'

Haar moeder zuchtte. 'Zodat je terugkomt met een spijkerbroek, waar bij het eerste bord spaghetti de knoop al afspringt en laarzen in maat achtendertig in plaats van maat veertig?'

'Geen veertig!' protesteerde Karin met volle mond. 'Negenendertig-en-een-half!'

'Vergeet niet dat je sokken aan moet trekken!' Moeder dacht altijd praktisch, zo was ze nu eenmaal. 'En voor je naar de stad gaat, moet je je haar nog wassen,' ging ze verder, 'want dat ziet er niet uit!'

'Weet ik wel,' bromde Karin.

Met haar asblonde haren, die in slierten voor haar gezicht hingen, was niet veel te beginnen. Als ze dan dacht aan Mireilles donkere krullen... Mireille, die ze morgen weer zou zien! Haar hart begon sneller te slaan.

Een jaar geleden hadden ze elkaar ontmoet in de tram. Mireille was op het station ingestapt. Karin herinnerde zich nog een verbleekte katoenen broek, een paar gymschoenen en een enorme rugzak: dat was Mireille. Ze leek op de rugzaktoeristen, die met bus, trein of liftend van de noordpool naar Afrika reisden en onderweg in Amsterdam of Zürich stopten. Mireille was bruin, had donkere ogen, schitterend witte tanden en was zeker niet ouder dan vijftien. Karin had gezien dat ze zonder kaartje was ingestapt. Toen de tram zich in beweging zette, haalde ze wat geld uit een leren tasje, dat aan haar riem hing. In Zürich moest je echter voordat je instapte bij de halte een kaartje nemen, maar hoe moest iemand dat weten die met een plattegrond in de hand en een Frans-Duits woordenboek in zijn tas uit de trein stapte?

Karin had destijds een schietgebedje gedaan dat er geen controle zou komen, maar op de Paradeplatz was er toch een controleur ingestapt. Karin kende wat Frans, omdat

7

haar moeder uit Lausanne kwam. Ze trok het meisje aan haar arm en fluisterde: 'Als je geen kaartje hebt, moet je maken dat je wegkomt!' Het meisje begreep het meteen en baande zich een weg naar de uitgang, waarbij ze met haar rugzak tegen iedereen aanstootte. De tram stopte. Het meisje stapte uit en Karin volgde, hoewel het niet haar halte was. Toen stonden ze tegenover elkaar, terwijl de tram met de controleur verder reed.

'Dankjewel! Wat een geluk!' grinnikte het meisje. Ze sprak heel snel met een Zuid-Franse tongval. Karin probeerde haar uit te leggen hoe je een tramkaartje uit de automaat moest nemen.

'Als de controleur je had gesnapt, was je dertig euro kwijt geweest!'

'Dertig euro?' Het meisje keek haar ontzet aan. 'Voor zoveel geld kun je drie keer eten en een nacht in een jeugdherberg slapen!' Toen vertelde ze dat ze uit Zuid-Frankrijk kwam. Uit Arles, de hoofdstad van de Provence aan de monding van de Rhône. Mireille Colomb heette ze. Ze reisde met haar tweelingbroer Alain. Ze hadden allebei een kaart voor het gehele Europese spoorwegnet en sliepen in jeugdherbergen. Haar broer wilde op bezoek bij een vriend in Luzern en daarom hadden hun wegen zich die ochtend gescheiden.

'Alain is oké, maar hij is helemaal weg van voetbal. Alleen al bij de gedachte dat ik al die verhalen over goals, hoekschoppen en penalty's moet aanhoren, vlieg ik de muur op. Laat die twee maar lekker over voetballen kletsen. Over twee dagen zien we elkaar weer in Bazel en gaan we samen verder naar Keulen.'

Mireille vouwde omstandig de plattegrond van Zürich uit. 'Kijk, dat is de jeugdherberg. Is dat hier ver vandaan?'

'Je moet de tram nemen en dan nog een heel stuk lopen,' zei Karin.

'Waarom liggen jeugdherbergen toch altijd aan de andere kant van de wereld?' zuchtte Mireille en duwde haar rugzak goed. 'Vooruit dan maar. Ik zal toch ergens moeten slapen vannacht!'

'Als je wilt, kan ik wel met je meegaan,' stelde Karin voor.

'Heb je tijd?'

'Natuurlijk! Het is vakantie!'

Het was een half uur naar de jeugdherberg. Toen ze er eindelijk warm en moe arriveerden, vertelde de jeugdherbergmoeder vriendelijk, maar resoluut, dat alle bedden bezet waren. 'Je had eigenlijk moeten reserveren,' zei ze tegen Mireille. Die stond onthutst te kijken met de zware rugzak, waarvan de banden in haar schouders sneden, een knorrende maag en verlangend naar een toilet en een douche.

'Joh, wat moet ik nu doen? De hotels hier zijn hartstikke duur en bij de informatiebalie op het station zeiden ze dat alle goedkope kamers al weg waren.'

Karin hoefde niet lang na te denken.

'Je mag wel bij ons slapen. Ik moet het natuurlijk wel eerst vragen... Je weet hoe ouders zijn.'

Ze zochten een telefooncel en Karin belde de verzekeringsmaatschappij waar haar moeder werkte.

'Wat? Je hebt een meisje opgeduikeld in de tram en nu

9

wil je dat ze bij ons komt slapen? Maar... wanneer heb je haar dan leren kennen?'

'Een half uurtje geleden...' antwoordde Karin een beetje verlegen. Haar moeder was met stomheid geslagen. 'Weet je eigenlijk wel waar ze vandaan komt en of ze...'

'Mama, alsjeblieft! Ze is echt heel aardig, neem dat van mij aan...'

'Goed dan,' verzuchtte haar moeder. 'Ik vertrouw op jouw gevoel. Vraag maar of ze vanavond komt eten en dan zien we wel verder. Ik hoop wel dat ze van kaassoufflé houdt, want ik ben te moe om echt te koken.'

Stralend kwam Karin met de jonge Française thuis. Mireille viel wel in de smaak bij Karins ouders. Ze was erg kordaat voor haar leeftijd en daarbij ook nog sympathiek, vrolijk en ondernemingsgezind. Mireille vertelde dat haar ouders gescheiden waren en dat ze met haar broer bij haar moeder woonde, die in Arles een boetiek met inheemse kunst had. Haar vader was hertrouwd en woonde in Nice. Ze zagen hem niet zo vaak. De tweeling ging naar het gymnasium in Arles.

'We zitten in dezelfde klas en dat is echt meer dan ik aan kan,' zuchtte ze. 'Alain en ik schelen precies twintig minuten in leeftijd, maar gelukkig ben ik de oudste, dus dat geeft wel wat voorrechten!'

In de loop van het gesprek had ze het ook over haar tante Justine, die in de Camargue een 'Mas' bezat in de buurt van Saintes-Maries-de-la-Mer.

'Wat is dat, een "Mas"?' wilde Karin weten.

'Dat is een Provençaalse boerderij, vooral de grotere

10

landgoederen worden zo genoemd. Veel landgoedeigenaren zijn ook boer,' legde Mireille uit, 'maar tante Justine is *manadière*, dat wil zeggen dat ze leeft van de opbrengst van de kudde.'

'Fokt je tante paarden?' Karin had rode wangen van opwinding.

Mireille knikte. 'Niet alleen paarden. Ze heeft ook minstens veertig stieren. Tante Justine zit vrijwel de hele dag in het zadel, net als haar *gardians*, de mannen die het vee hoeden. Ze is twaalf jaar geleden weduwe geworden, toen oom Renand om het leven kwam bij een auto-ongeluk. Zijn landrover is in een greppel terechtgekomen. Hij raakte gewond, verloor het bewustzijn en is verdronken. Na zijn dood nam tante Justine de "Mas de la Trinité" over. Alain en ik zijn daar elke vakantie en bijna elk weekend. We mogen er paardrijden en zwemmen zoveel we willen.'

'Dat is geluk hebben!' riep Karin enthousiast uit. Ze wist dat de Camargue een enorm gebied van meren, moerassen en uitgestrekte vlakten was aan de monding van de Rhône. Ze wist ook dat de Camargue bekendstond als paradijs van de witte paarden, stieren en flamingo's, maar daarmee eindigde haar kennis. Mireille legde uit dat de Camargue eigenlijk een eiland was, dat voortdurend in beweging is zodat de omtrekken en de rivierarmen voortdurend veranderen.

Haar ouders hadden aandachtig geluisterd en Karin, die de neiging had met haar hoofd in de wolken te lopen, droomde over een paard waarop ze door het wilde landschap reed...

'Kun je rijden?' had Mireille gevraagd, alsof ze Karins gedachten had geraden.

'Een beetje... Nou, eerlijk gezegd: nee. Het is niet zo gemakkelijk om in de stad paard te rijden. Je moet dan naar een manege en dat is heel duur.'

Haar vader schraapte zijn keel. Karin wierp haar moeder een blik toe, maar die deed alsof ze niets had gehoord en zei heel bedaard tegen Mireille: 'Zoiets moet je wel verdienen. Karin is niet dom, maar ze heeft dit jaar niet bepaald haar best gedaan op school, toch Karin? We hadden haar rijles beloofd, maar de school komt altijd op de eerste plaats. Als je niet zulke goede cijfers haalt, kom je niet waar je zijn moet.'

Karin zette de theepot luidruchtig op tafel.

'Je weet heus wel dat we stomme leraren hebben. En ik heb een hekel aan wiskunde!'

Mireille knipoogde naar haar. 'Ik ook!' Toen schoten de beide meisjes in de lach. Karins ouders wisselden een veelzeggende blik, terwijl Mireille voor de derde keer van de kaassoufflé nam.

'Heb jij een eigen paard?' vroeg Karin om van het pijnlijke onderwerp af te stappen.

'Als ik bij tante Justine ben, rijd ik altijd op Follet, een merrie van vijf. Alain heeft ook zijn eigen paard. Het heet Caprice, Stijfkop dus, omdat hij zo moeilijk te berijden is. Maar de mooiste hengst van de stal is Etoile, onze Ster. Niemand heeft er ooit op gereden en niemand zal er ook ooit op rijden.'

'Waarom niet?'

'Omdat hij niet goed wijs is.' Mireille tikte tegen haar voorhoofd. 'Toen hij nog een veulen was, is een dronken vent op zijn motorfiets de kudde in gereden. Hij vond het leuk om de paarden te laten schrikken. Die idioot heeft het veulen zo ernstig verwond, dat tante Justine even dacht dat het afgemaakt moest worden. Etoile is hersteld, maar hij duldt niemand in zijn buurt.'

'En wat is er gebeurd met de vent die dat gedaan heeft?' vroeg Karin.

'De *gardians* hebben hem afgerost. Hij kwam niet uit de buurt. Iemand uit de Camargue had zoiets nooit gedaan,' zei Mireille geringschattend.

Twee dagen lang waren Karin en Mireille onafscheidelijk. Karin liet haar nieuwe vriendin de stad zien. Ze slenterden langs de Limmatquai, picknickten op een bankje aan de oever van de rivier en voerden brood aan de zwanen. Op de middag van de tweede dag had Karin Mireille geholpen om haar rugzak te pakken. Ze was neerslachtig. De laatste vakantiedagen die haar nog restten, leken haar opeens zo saai.

'Kijk niet zo somber!' had Mireille gezegd toen ze naar het station reden. 'We zien elkaar volgend jaar weer en ik schrijf je.'

Karin had geknikt, maar ze had niet gedacht dat Mireille haar belofte zou houden. Ze had vast wel iets anders te doen dan brieven te schrijven. In haar leven waren die paar dagen in Zürich vrij onbelangrijk. Heel lang had Karin het beeld van het Franse meisje nog op haar netvlies, zoals ze vanuit de coupé van de vertrekkende trein naar

13

haar had gezwaaid. Ze zag haar lach, de verwarde haren, de kaki blouse die was verkreukeld door de rugzak...

De verrassing was groot toen ze nauwelijks een week later een ansichtkaart uit Brussel kreeg, toen een tweede uit Amsterdam. Een maand later kwam er een lange brief uit Arles. Ook voor Mireille was de vakantie voorbij en ze vertelde acht kantjes lang wat ze op haar reis nog had beleefd. Ze was dus een meisje dat haar woord hield, en een meisje dat hield van brieven schrijven! Omdat Karin het ook leuk vond om brieven te schrijven en daarin te vertellen wat ze zoal meemaakte, was er al snel een drukke briefwisseling tussen Zürich en Arles op gang gekomen.

Net na Pasen kwam de brief die Karin drie maanden lang ongeduldig deed uitkijken naar de zomer: Mireille nodigde haar uit om de maand juli door te brengen op 'Mas de la Trinité' in de Camargue!

'Ik heb het met tante Justine over jou gehad en ze stelde voor dat ik jou uit zou nodigen. Er is plaats genoeg op de "Mas" en er zijn vaak gasten. Kom je? Dan kunnen we van 's morgens vroeg tot 's avonds laat rijden. Je hoeft niet bang te zijn, want tante Justine geeft je een paard dat geen grillen heeft. Dan kun je ook mijn broer Alain leren kennen. Opeens denk ik er weer aan dat ik hem een foto van jou heb laten zien en hem heb gevraagd wat hij van je vond. "Niets bijzonders!" zei hij! Meisjes interesseren hem niet, zegt hij, maar ik geloof het niet. Nu ja, je zult het zelf wel zien...'

Een beetje schoorvoetend las Karin haar ouders de brief van Mireille voor, waarbij ze het deel over Alain maar

14

oversloeg. Dat ging niemand tenslotte iets aan. Natuurlijk was de uitnodiging voor mama weer eens een goede gelegenheid om eisen te stellen. 'We hebben er in principe geen bezwaar tegen, maar je vakantie in de Camargue hangt – zoals je wel kunt vermoeden – af van het feit of ze op school tevreden over je zijn. Schrijf Mireille dus maar dat je het nog niet zeker weet.'

Dat laatste irriteerde Karin, maar ze zei niets. Haar besluit stond al snel vast. Vanaf die dag stampte ze Engelse woordjes in haar hoofd, blokte op haar algebra. Ze werkte zelfs op zaterdagmiddag en zondag, deed haar huiswerk zonder muziek erbij. Het succes bleef niet uit: op haar rapport stonden zoveel goede cijfers dat haar ouders blij verrast reageerden en Karin naar de Camargue mocht. Ze mocht zelfs een nieuwe spijkerbroek kopen en ook nog de rijlaarzen waar ze sinds de vorige herfst al tevergeefs om had gezeurd!

De laatste details werden telefonisch besproken met Mireille en haar tante Justine. Zelfs van een afstand klonk de stem van mevrouw Colomb warm en vrolijk. Karin verheugde zich erop haar binnenkort te ontmoeten. Daarna kropen de dagen tot het vertrek uiterst traag voorbij. Karin kon zich bijna niet voorstellen dat ze morgen echt op reis zou gaan!

'Zeg dan iets!' De stem van haar moeder haalde Karin terug naar het heden. 'Heb je nu gehoord wat ik zei?' Mama had zich verkleed. Ze droeg nu een gebloemde blouse en een blauwe broek. 'Ik zei dat je me straks maar van kantoor moet komen halen. Dan ga ik mee naar het station om het kaartje te kopen. O ja, dat was ik bijna vergeten – hier heb je nog wat geld voor je boodschappen, maar je moet het niet uitgeven aan onnodige dingen, hoor!' Haar moeder vertrok. Ze had 's morgens altijd haast. Haar vader gunde zich de tijd om te ontbijten. Hij was vormgever en de drukkerij was maar vijf minuten lopen, zodat hij geen tram of auto nodig had. Hij hielp Karin meestal om 's morgens af te wassen en de keuken op te ruimen.

'Pap, mag ik jouw rugzak lenen? Ik heb geen zin om met een koffer te sjouwen.' Haar vader had een mooie, rode trekkersrugzak met heel veel vakken.

'Op voorwaarde dat ik hem weer netjes terugkrijg en niet onder de vlekken, zoals de laatste keer.'

Karin bleef alleen achter. Ze waste haar haren en droogde ze met de föhn. Een half uur later was ze op weg naar het centrum om in de warenhuizen rond te snuffelen. Ze paste minstens vijf broeken voordat ze de juiste had gevonden: donkerblauw, nauwe pijpen en een knoopsluiting. Toen ontdekte ze in de uitverkoop een paar te gekke cowboylaarzen met platte hakken. Alleen de cadeaus bezorgden haar hoofdbrekens! Uiteindelijk kocht ze voor Mireille een zilveren ring met een vogeltje en voor Alain een sleutelhanger.

Precies op tijd was ze bij het verzekeringskantoor. Haar moeder vond de laarzen mooi, maar ze trok haar neus op toen ze de spijkerbroek zag. 'Weet je zeker dat dat jouw maat is? Je zou denken dat je hem op de kinderafdeling gekocht hebt!'

'Ik moet mijn buik wat inhouden als ik hem dichtdoe,' gaf Karin toe. 'Maar alle spijkerbroeken worden groter met het dragen.'

Haar moeder leek niet erg overtuigd, maar ze was kennelijk in een toegeeflijke bui. Nadat ze een kaartje had gekocht, stelde ze voor om een pizza te gaan eten. Zo werd het een echte feestdag voor Karin!

Daarna ging haar moeder terug naar kantoor en vloog Karin naar huis om haar spullen in te pakken. Ze spreidde ondergoed en sokken uit op de grond. De blauwe bikini van vorig jaar was een beetje verschoten, maar in de felle zon zou je daar nauwelijks iets van zien. Die avond kostte het haar een uur om de rugzak zorgvuldig te pakken. Haar moeder kwam om de paar minuten binnen en wilde beslist dat ze vroeg naar bed zou gaan. De trein naar Avignon vertrok al om tien voor zeven! Karin kon echter niet in slaap komen. Ze draaide zich van haar ene zij op de andere, hoorde de klok twaalf uur slaan, toen één uur. Toen de vermoeidheid het uiteindelijk had gewonnen van de opwinding, sliep ze zo vast dat de wekker tevergeefs rinkelde. Haar vader moest op de deur bonzen om haar wakker te maken.

'Opstaan Karin, anders vertrekt de trein zonder jou!'

Dat zou rampzalig zijn! Karin sprong uit bed en kleedde zich bliksemsnel aan. Haar hoofd tolde. Had ze niets vergeten? Het ontbijt stond al klaar, maar ze kon van pure opwinding geen hap door haar keel krijgen. Om geen problemen te krijgen, dronk ze een kop koffie met melk en knabbelde wat aan een boterham. Haar moeder maakte twee broodjes klaar, een met worst en een met kaas. Er gingen ook een appel en een sinaasappel in het zakje. Haar vader stond al klaar met de autosleutels om Karin naar het station te brengen. Nog een laatste kus van haar moeder. 'Doe de hartelijke groeten aan Mireille en als je daar bent, bel je meteen. En je stuurt af en toe een ansichtkaart!' 'Ik zal echt schrijven, mama.'

Kreunend onder het gewicht van de rugzak, strompelde Karin de trap af. Haar vader had de auto al uit de garage gehaald. Met trillende vingers maakte Karin de veiligheidsgordel vast.

'Vlug!'

Haar vader liet zich niet opjagen. 'Maak je niet zo druk! We hebben alle tijd.'

Het was niet zo druk op dit vroege uur en dus waren ze al snel op het station. Het duurde zelfs nog tien minuten voordat de trein bij het perron arriveerde. Haar vader regelde een plaatsje bij het raam in een coupé voor niet-rokers.

'Stap nou uit!' riep Karin steeds nerveuzer. 'Zo meteen vertrekt de trein!'

'Dat hoop ik ook,' antwoordde haar vader doodgemoedereerd. 'Ik heb altijd al naar de Camargue gewild...' Hij haalde met een liefdevol gebaar zijn hand door haar haren en stapte uit. Karin boog zich uit het openstaande raam van de coupé. 'Val niet van het paard!' riep haar vader haar toe, toen de trein zich langzaam in beweging zette.

Karin zwaaide net zo lang naar haar vader als Mireille het jaar daarvoor naar haar gezwaaid had. De trein ging steeds sneller. Het station verdween en daarmee verdween ook de gedaante van haar vader achter de betonnen pijlers. Karin deed het raam dicht, veegde haar verwarde haren uit haar gezicht en ging met een diepe zucht van tevredenheid zitten. Eindelijk was het begonnen! De Camargue, de zon, de wind en het grote avontuur lagen op haar te wachten. Zo zag ze het voor zich en haar fantasie kende geen grenzen.

2

Voor de lange reis had Karin een boek meegenomen, maar lezen lukte niet zo erg. Er was buiten voortdurend iets te zien: het landschap, dorpen, maar ook mensen. Tot Bern reisde Karin samen met een vrouw, die zich had verdiept in kruiswoordraadsels, en twee Nederlanders met baarden, gekleed in een vieze spijkerbroek en allebei met een zware rugzak. In Bern stapte er ook een oudere man in, die al snel met open mond zat te slapen. Er vloog een vlieg om zijn hoofd. Karin wachtte met spanning op het moment dat hij zich in de vlieg zou verslikken. Toen de trein Fribourg binnenreed, werd de man echter wakker en verdween de vlieg. Nu reed de trein verder door wijnvelden. Het meer van Genève lag er stralend blauw bij. De hoge, lichte huizen van Lausanne vlogen voorbij. Karin zag grote parken met ceders en exotische bomen bij Genève en toen waren ze al aan de grens. Een korte stop voor de grenscontrole en de rit ging weer verder. Nu was ze in Frankrijk!

Vlak voor het middaguur kwam de trein in Lyon aan. Het leek Karin een enorme stad. Op het perron wemelde het van de mensen met veel bagage, die tegen elkaar opbotsten en naar voren dromden. Het werd heel vol in de trein. Karin zat ingeklemd tussen het raam en een dikke dame die heel erg naar parfum rook en voortdurend met haar elleboog in Karins zij porde. Tegenover Karin zat een meisje van ongeveer haar leeftijd met een kattenmand op schoot. Karin zag de ogen van de kat geel oplichten. Elke keer dat het dier klaaglijk miauwde, streelde het meisje hem. Karin at de twee belegde broodjes en de appel. De sinaasappel bewaarde ze nog. Het was warm. Ze vocht tegen de slaap, keek naar het blauwgroene lint van de Rhône, die tussen twee lage dijken door stroomde. Het was een vredig, maar eentonig landschap, waar eigenlijk niet veel opvallends te zien was. Haar kin begon pijn te doen van het gapen. Ze was ook zo vroeg moeten opstaan! De aanblik van een donkere vestingwal en massieve torens, die naar boven staken, maakte haar weer een beetje wakker. Dit moest Avignon zijn!

Ze stond snel op, stootte tegen ellebogen en knieën van medereizigers. Haar rugzak kwam weinig zachtaardig op een schedel terecht. Karin stamelde een verontschuldiging.

Oef! Eindelijk stond ze op het perron! In tegenstelling tot het gedrang in Lyon maakte het station van Avignon een bijna verlaten indruk. De trein naar Arles stond al klaar en Karin vond een bijna lege coupé. Dat is geregeld, dacht ze en maakte het zich gemakkelijk. In de coupé zat alleen een oudere man, die in een grote zakdoek zat te hoesten. Hij was kennelijk verkouden.

De trein vertrok met een half uur vertraging. Hoewel het al aan het eind van de middag was, stond de zon nog altijd hoog aan de hemel. Stoffige cipressen stonden in een lange rij op een grauwe vlakte zonder dat er ergens een schaduw te bekennen was. Karin had dorst. Ze at de sinaasappel. Langzaam vielen haar ogen dicht. Ze dommelde in, maar schoot opeens overeind toen de trein langzamer ging rijden. Ze zag witte huizen en een laan met platanen.

'Neemt u me niet kwalijk, maar weet u waar we zijn?' vroeg ze nog slaperig aan de oudere man.

'In Arles,' rochelde hij van achter zijn zakdoek.

Ze had nog net tijd om de sinaasappelschillen weg te gooien en haar rugzak te pakken. Toen stopte de trein al! Nog knipperend tegen het felle licht stond Karin even later op het perron en zocht de uitgang.

'Karin!' Die stem deed haar omkijken. Haar rugzak raakte een man, die tierend zijn hand over zijn gezicht haalde.

'Ik ben wel onhandig bezig met mijn bagage!' hijgde Karin en stak Mireille haar hand toe. 'Dat komt van de warmte!'

Mireille was niets veranderd, alleen misschien iets dunner en iets bruiner. Ze droeg een spijkerbroek met daarop een wijde blouse met opgerolde mouwen en de gebruikelijke gympen.

'Hoe was je reis?'

'Ik ben in slaap gesukkeld en toen ben ik bijna vergeten om uit te stappen,' bekende Karin.

'Van reizen word je slaperig,' knikte Mireille. 'Toen Alain een keer naar mijn vader in Nice ging, werd hij pas een uur voorbij Nice wakker. Bij de Italiaanse grens!' Ze grinnikte.

'Maar vertel maar niet dat ik dat heb gezegd, want dat zit hem nog steeds dwars!'

'Is Alain er niet?'

Mireille schudde haar hoofd. 'Die zit al een week bij tante Justine. Lekker rustig voor mij. Hij is namelijk ongelooflijk vermoeiend,' voegde ze eraan toe. Ze stak haar hand uit naar de rugzak. 'Kom, dan help ik je.'

'Niet nodig, zo zwaar is hij niet,' jokte Karin.

'We gaan met de bus.' Bij de uitgang pakte ze opeens Karins arm. 'Vlug! Daar is hij al!'

De bus stopte precies voor hun neus. Mireille gebruikte haar ellebogen om Karin naar een van de weinige vrije plaatsen te duwen. Karin klemde haar rugzak tussen haar knieën. Met een ruk reed de bus weg, een wolk van uitlaatgassen achterlatend.

'Arles stinkt in de zomer. Ze moeten eigenlijk alle motorvoertuigen verbieden,' zei Mireille en hield haar neus dicht.

Karin lachte fijntjes. Mireille zou geen gelegenheid voorbij laten gaan om over de luchtverontreiniging tekeer te gaan. 'En hoe moeten we ons dan verplaatsen? Lopend misschien?'

'Bijvoorbeeld. Of te paard, of met paard en wagen. Dat is een kwestie van wennen. We hebben immers al een energiecrisis. Over twintig jaar is Europa één groot autokerkhof!' voorspelde ze.

Karin keek naar de beschaduwde straten, omzoomd door winkels en overvolle cafés. Mireille had gelijk: Arles stikte in het verkeer. De uitlaatgassen, die de hitte nog drukkender maakten, hingen boven straten en pleinen. Maar was dat niet in elke stad het geval? De bus reed over de brede Boulevard des Lices en sloeg toen af. Mireille wees op een enorme, grijszwarte muur, die een sterk hellend steegje leek af te grendelen. 'Dat is de arena,' legde ze uit. 'Die zou in het jaar tweehonderd gebouwd zijn. Daar worden zondags de *cocarde*wedstrijden gehouden.'

'Wat zijn dat?'

'Stierengevechten. De deelnemers, de zogenaamde *razeteurs*, moeten een *cocarde* te pakken zien te krijgen, een lint dat de stier tussen zijn horens heeft. Er is veel moed en handigheid voor nodig om die kwade stier te ontlopen.'

'En dan wordt de stier gedood?'

'Nee, alsjeblieft niet!' Mireille schudde verontwaardigd haar hoofd. 'Het stierenvechten in de Camargue is geen corrida of rodeo, maar een wedstrijd waarbij de stier ook een kans heeft.'

'Ik zou best eens zo'n wedstrijd willen zien,' zei Karin.

'Dat is niet zo moeilijk. Tante Justine heeft twee stieren die aanstaande zondag in Aigues-Mortes vechten. Kom, hier moeten we uitstappen.'

Ze baanden zich een weg naar de uitgang. Daarna staken ze een door auto's en motorfietsen geblokkeerde straat over en kwamen uiteindelijk op een door grote bomen omzoomd plein. Uit de bebladerde kruinen van de bomen klonk een luidruchtig gekwetter – kennelijk waren daar ongelooflijk veel vogels neergestreken. Om het plein lagen restaurants, cafés en winkels.

'Dat is onze boetiek,' wees Mireille trots.

In de etalage die ze aanwees, zag Karin lange rokken met volants, spullen van leer en riet, een paar handgebreide truien in heldere kleuren en een stuk of wat van die beeldjes van klei, gekleed in bonte kleren, die in Zuid-Frankrijk in de kerstkribbe worden gebruikt.

'Mooi,' vond Karin.

'Je hebt nog helemaal niets gezien!' Mireille deed de deur open en er klonk een klokkenspel.

Het geurde naar lavendel in de halfdonkere zaak. Karin zag grote, zachte wollen dekens, bonte katoentjes, geborduurde linnen tassen, gehaakte omslagdoeken. Op een rek stonden fraaie glazen en grillige schelpenkastjes en achter de toonbank, waarop geurende lavendelzakjes lagen, stond een grote vrouw met een diepbruine huid en dik zwart haar, dat in de nek tot een knot was samengebonden. Ze droeg een spijkerbroek en een turkooizen zijden blouse.

'Mama, dit is Karin,' zei Mireille en duwde haar vriendin naar voren.

Mevrouw Colomb kwam achter de toonbank vandaan, omhelsde Karin en gaf haar een kus, zodat Karin begon te blozen van verlegenheid.

'Wat heerlijk dat ik je nu eindelijk eens leer kennen! Mireille heeft al zoveel over je verteld,' zei ze hartelijk. 'Je zult wel doodmoe zijn na die lange reis. Ga maar snel naar boven. Finette zet wel even koffie voor jullie.'

Finette was Mireilles oma, wist Karin uit de verhalen van haar vriendin. Ze volgde Mireille over een smalle,

25

donkere trap naar boven. Er liep een gang naar de woning op de eerste verdieping en Karin kwam in een grote kamer. De luiken waren dicht vanwege de warmte. Er stonden zware, oude meubelen in het vertrek. Aan het plafond hing een enorme kroonluchter. Het rook er wat muf, naar boenwas en appels.

'Het huis is al meer dan honderd jaar oud en tamelijk uitgewoond,' zei Mireille. Toen ze 'Finette!' riep, ging er een deur open en verscheen er een geheel in het zwart gekleed, oud vrouwtje. Een zilveren broche hield de omslagdoek voor op haar borst bij elkaar. Haar rimpelige gezicht straalde schalkse goedheid uit. 'Je bent een onmogelijk kind, Mireille. Je laat je vriendin gewoon met die zware rugzak staan! Kom kind, ik zal je helpen.' Met onverwachte kracht hielp ze Karin om de rugzak af te doen.

'Dank u wel, Madame,' zei Karin onzeker.

'Ik heet Finette,' reageerde de oudere vrouw meteen.

'En ik adviseer je om vooral geen "oma" te zeggen,' voegde Mireille eraan toe. 'Dan wordt ze boos!'

'Iedereen heeft zo zijn eigenaardigheden en ik heb de mijne,' zei de oudere vrouw, tilde Karins rugzak met een flinke ruk op en zette hem tegen de muur. 'Je kunt je vriendin maar beter laten zien waar de badkamer is, in plaats van die domme praatjes te houden. Ze zal zich vast wel even willen opfrissen.'

'Kom mee,' riep Mireille lachend en trok Karin achter zich aan. 'Schrik niet, want het water rommelt in alle buizen en het hele huis dreunt als je doortrekt!'

Toen Karin in de woonkamer terugkwam, stonden er twee piepkleine kopjes met zwarte koffie op tafel, daarnaast een suikerpot en een bordje met geglaceerde amandelkoekjes.

'Proef maar eens,' bood Mireille aan.

Karin deed het. Het koekje smolt op haar tong. Finette keek haar glimlachend aan en verdween toen.

'Heeft Finette die gebakken?' vroeg Karin verbouwereerd.

'Wat dacht jij dan? Dat ze ze bij de bakker haalt?'

Ze dronken de koffie en aten alle koekjes van het bordje op. Toen liet Mireille Karin haar kamer zien. Hij was veel hoger en ruimer dan Karins kamer en keek uit op een winkelstraat, vanwaar geluiden, stemmen en voetstappen klonken. Mireille boog zich naar buiten en deed de luiken dicht.

'Overdag is het hier zo lawaaierig dat ik in de kamer moet werken,' zei ze. 'Maar 's nachts is het zo stil als in een klooster.' Naast het heel smalle, ouderwetse bed stond een spiegelkast van zwaar eikenhout.

'Dit was het bed van Finette, toen ze nog jong was,' zei Mireille. 'Ik kreeg het voor mijn tiende verjaardag van haar. Vannacht slaap jij hier.' Ze tikte op een sofa, die Finette – of iemand anders – had opgemaakt met naar lavendel geurend beddengoed. 'Je hoeft je rugzak niet eens uit te pakken. Mijn moeder brengt ons morgen naar de "Mas".'

'Wat dom! Dat zou ik bijna vergeten!' Karin sloeg haar vlakke hand tegen haar voorhoofd. 'Ik had beloofd dat ik naar huis zou bellen om te zeggen dat ik goed aangekomen ben.'

'Dat doen we in de winkel,' zei Mireille. 'Mijn moeder weet wel welk landnummer het is.'

Pas toen ze aan die plicht had voldaan, voelde Karin zich echt op vakantie!

De tijd vloog die dag voorbij: ze hadden elkaar zoveel te vertellen dat ze niet eens merkten hoe laat het al was.

'Hebben jullie helemaal geen trek?' vroeg mevrouw Colomb verbaasd toen ze na sluitingstijd van de winkel bovenkwam. 'Het wordt tijd voor het avondeten. En Finette kennende zal ze zichzelf vanavond overtroffen hebben met koken.' Ze dekte haastig de tafel. Borden en bestek kwamen op een geborduurd tafelkleed te staan. Net toen alles klaar was, kwam Finette met een rood hoofd en een tevreden gezicht uit de keuken met in haar handen een enorme soepterrine.

'Na zo'n reis moet je krachten opdoen,' zei ze en schepte Karins bord vol. Die dacht bij deze hoeveelheid meteen aan haar krappe spijkerbroek. Na de heerlijke vissoep volgde een enorme eier-kaassalade met noten, vervolgens gestoofde vis en gebraden kip met olijven en diverse groenten. Nadat Karin ook nog een zalige chocoladepudding met slagroom had verorberd, had ze het gevoel dat ze geen pap meer kon zeggen. Haar buik was kogelrond en heimelijk maakte ze twee knoopjes van haar broek los.

Mevrouw Colomb wilde de volgende morgen op tijd vertrekken. 'Ik ga op de terugweg via Nîmes, want daar heb ik een afspraak en ik wil voor de middag terug zijn.'

Ze keek naar Karin, die probeerde een geeuw te onderdrukken: 'Koffie?'

Verlegen schudde Karin haar hoofd en Finette zei streng: 'Het kind valt om van vermoeidheid. Ze moet nu echt naar bed als ze morgen weer op tijd op moet. Ze heeft nog zoveel plannen. Paardrijden is vermoeiend als je het niet gewend bent.'

'Het lijkt anders helemaal niet zo moeilijk als je het ziet,' antwoordde Karin.

'Dat hangt ook van het paard af,' zei Mireille. 'Ik heb je toch verteld over Etoile, die gekke hengst van mijn tante?'

'Hoe is het daarmee?' wilde Karin weten.

'Nog altijd hetzelfde! Het gekke is alleen dat Alain nu ook begint door te draaien. Hij heeft zich in het hoofd gehaald dat hij op Etoile wil rijden. Snap je wat dat betekent? Een paard, dat niemand in zijn omgeving duldt! Toen Alain tegen tante Justine zei dat hij Etoile wilde temmen, begon ze luid te lachen. "Als het jou lukt om drie minuten op hem te blijven zitten, is Etoile van jou," zei ze. Dat liet Alain zich natuurlijk geen twee keer zeggen en hij ging er meteen vandoor om Etoile te zadelen. Het dier heeft sindsdien geen rustig moment meer,' vertelde Mireille lachend.

'Het zou me verbazen als het hem lukt,' zei mevrouw Colomb. 'Alain is veel te wild, te ongeduldig ook. Bij paarden kom je verder als je rustig en doortastend bent. Alain moet niet vergeten dat Etoile een enorme shock heeft gehad. Ik denk eigenlijk dat het nooit meer goed komt.'

Karin was haar vermoeidheid vergeten en luisterde nu geboeid.

'Ik heb er altijd van gedroomd de Camargue eens te leren kennen,' zei ze blij.

Finette wiegde met haar hoofd. 'De Camargue is een van de laatste paradijzen op aarde,' zei ze met haar gebarsten, maar duidelijke stem. 'En zoals elk paradijs is het tot de ondergang gedoemd.'

Karin keek haar bedremmeld aan. 'Tot de ondergang gedoemd? Hoezo?'

Finette slaakte een zucht. 'De mens verdient het paradijs niet. Hij kan het alleen maar te gronde richten en verwoesten.'

Mireille verbrak het stilzwijgen. 'Laat je niet van de wijs brengen, Karin! Wij zijn het wel gewend: na het eten vervalt Finette in sombere overpeinzingen.'

'Dat is waar!' zei de oudere vrouw onverschillig, maar er danste een spottend lichtje in haar bruine ogen. 'Zeg, hou je van verse croissants bij het ontbijt?' vroeg ze toen aan Karin.

'Lieve hemel, Finette, wil je alsjeblieft niet weer over eten beginnen? Ik hoef een jaar niet meer te eten!'

Nadat de beide meisjes de tafel hadden afgeruimd, de keuken – die eruit zag als een slagveld – hadden opgeruimd en hadden afgewassen, gingen ze naar bed. Ze vielen echter niet meteen in slaap, maar lagen nog heel lang te fluisteren en te giechelen. Het was al ver voorbij middernacht toen Karin doodmoe in slaap viel.

3

Karin haalde haar hand langs haar neus. Een zonnestraal had haar wakker gekriebeld. Ze deed haar ogen open, keek verdwaasd naar het gestukadoorde plafond en wist toen pas weer waar ze was.

'Dat wordt wel tijd,' hoorde ze Mireille zeggen. 'Ik wilde je al uit bed gooien.'

Mireille stond voor de spiegel en borstelde haar haren. De vogels zongen luid, te luid, vond Karin. Buiten werd de straat gespoten. De geur van vochtig asfalt drong de kamer binnen.

De verse croissants, afgedekt met een papieren servetje, glansden van de boter. Het water liep Karin in de mond. Ze zuchtte. 'Heb jij een spijkerbroek voor me te leen, Mireille?'

'Hoezo?'

'De mijne is een beetje te klein en als ik zo blijf eten, barst ik er straks aan alle kanten uit!'

Finette kwam binnen om koffie in de grote koppen te schenken. Ze droeg een wit schort en geurde naar viooltjes.

Even later kwam mevrouw Colomb ook binnen. Karin keek bewonderend naar de zwarte broek en de ivoorkleurige blouse, die prima paste bij haar bruine huid. Ze vond dat mevrouw Colomb zich beter kon kleden dan haar moeder met haar eeuwige voorliefde voor pasteltinten. Mevrouw Colomb dronk staand een kop zwarte koffie. 'Eten jullie maar rustig af,' zei ze tegen de meisjes. 'Je moet 's morgens de tijd nemen. Ik wacht wel bij de garage.'

'Jij neemt ook een croissant,' zei Finette streng, juist op het moment dat Karin haar hand uitstak om de laatste te pakken. Iedereen schoot in de lach toen Karin met een vuurrood gezicht snel haar hand terugtrok.

Even later pakte Mireille de tas, waar ze haar spullen in gepakt had, en ging voor Karin, die haar rugzak meesjouwde, de trap af.

Finette kwam voorzichtig achter hen aan. Ze gaf Mireille een kus, tikte Karin op de wang en zei: 'Laat je niet door Alain op je kop zitten!'

'Daar zal ik wel voor zorgen,' beloofde Mireille nadrukkelijk.

Finette liep mee tot aan de deur van de winkel. Daar bleef ze staan, de handen in de zakken van haar schort, en keek hen na. Haar gerimpelde gezicht, beschenen door de zon, stond vrolijk. Mevrouw Colomb, die de auto had volgetankt, reed voor en hielp de meisjes de bagage in de kofferbak van de Peugeot te zetten.

'Mireille kan wel achterin, want zij kent de streek,' zei ze, ging achter het stuur zitten en zette haar zonnebril op.

De auto reed weg, wrong zich door de kronkelende steegjes en kwam op de Boulevard des Lices. Het was marktdag. Mensen, beladen met manden en tassen, dromden om de kraampjes. Karin zag piramides van fruit en groenten, bergen groene en zwarte olijven, rijen ingemaakte groenten en potten honing. Stukken ijs beschermden de verse waren tegen de warmte van de zon. In kleine kooitjes zaten sombere kippen, verkopers hielden spartelende konijnen op aan hun oren. De Peugeot reed langs de kramen met kleding, waar broeken en truien aan de rekken hingen en stapels ondergoed op de tafels lagen. Bij een rood verkeerslicht stond een drievoudige file van vrachtwagens, motorrijders en personenauto's. Alle motoren draaiden op volle toeren en Karin hield haar neus dicht.

Mevrouw Colomb duwde de zonnebril op haar voorhoofd en zei: 'Zo meteen laten we deze drukte achter ons.' Het verkeerslicht sprong op groen en op hetzelfde moment stoof alle verkeer voorwaarts. De Peugeot sloeg een straat in, even later een volgende. Al snel waren ze aan de rand van de stad. Op een stuk zandgrond, beschaduwd door platanen, speelden mannen jeu de boules. Met ernstige gezichten en druk pratend berekenden ze de worp en gooiden de bal vervolgens met een grote uithaal. De zon kwam steeds hoger. Mevrouw Colomb reed snel. Het raam stond open en er woei een warme wind door de auto. De weg leidde nu door een vlak landschap, waar vage luchtspiegelingen blauwig schemerden.

'Dat is de Camargue al,' zei Mireille.

'Ik dacht dat het een wilde, onbebouwde vlakte was,' zei Karin. 'Maar ik zie overal groene velden.'

'Dat zijn rijstvelden,' legde mevrouw Colomb uit. 'De een of andere slimme Piet is op het idee gekomen om de ondiepe zoetwatergebieden voor rijstbouw te gebruiken. Sinds een aantal jaren dekt Frankrijk de behoefte aan rijst voor negentig procent uit de Camargue. Voor die mensen is dat natuurlijk goed, maar zo is wel weer een deel van de ongerepte, wilde natuur verloren gegaan.'

Hoe Karin ook naar alle kanten keek, er was niet veel te zien. Het uitzicht werd belemmerd door een muur van cipressen en tamarinden of verdween in een grijzige mist net boven de grond die glom van het zout.

'Waar zijn de paarden eigenlijk?' vroeg ze teleurgesteld.

Mevrouw Colomb schoot in de lach.

'Even afwachten, je zult ze zo meteen wel zien.'

Langzamerhand werd het landschap steeds vaker onderbroken door beekjes en poelen. Het water hoopte zich op in de kanalen en de natuurlijke kuilen, die werden gevoed door het grondwater. De meren schitterden als grote, doffe spiegels.

Opeens pakte mevrouw Colomb Karins arm. 'Daar, kijk!'

Er gleden twee roze flamingo's over het water met een majesteitelijke en rustige vleugelslag. Andere stonden op één been. De vogels leken wel grillige bloemen, die zich op hun stengel in evenwicht hielden. Een paar paradeerden door de modder, waarbij hun lange hals in de maat op en neer wipte.

Mevrouw Colomb ging langzamer rijden. Langs de kant van de weg stonden vele auto's met een buitenlands kenteken en Karin zag dat de toeristen iets filmden. Opeens slaakte ze een kreet: in het hoge riet graasden stieren. Hun indrukwekkende ruggen, de zware, verwaande koppen met de sikkelvormige horens drongen de buigzame stengels rustig en vol kracht opzij.

Mevrouw Colomb had de auto stilgezet, zodat Karin alles beter kon zien.

'De weiden zijn afgezet met prikkeldraad,' zei ze. 'Het is toeristen verboden om dicht bij de stieren te komen, maar toch gebeuren er soms ongelukken.'

'Net goed,' vond Mireille. 'Een stier is geen onschuldig schaap!'

Mevrouw Colomb reed weer verder, maar Karin slaakte opnieuw een kreet van vreugde: achter een greppel, vlak naast de weg, liepen twee schimmels vreedzaam te grazen. Het waren gedrongen beesten met een ronde rug, volle manen en ruige haren. Met hun zachte, donkere ogen keken ze zonder enige verlegenheid naar de toeristen, die hen wilden aaien en zo ver naar voren drongen als de grond dat toeliet.

Mevrouw Colomb moest lachen om Karins enthousiasme.

'Zo, nu hebben we meteen de drie beroemdste soorten van de inheemse fauna gezien. Ben je nu tevreden?'

'Het is... te gek!' kon Karin alleen maar uitbrengen.

Ze had er gewoon geen woorden voor. De Camargue leek net één prachtig prentenboek.

'Kom nou,' zei Mireille, weinig onder de indruk. 'Dat is een kwestie van tijd. Over een paar dagen laat zelfs een aanvallende kudde je hartstikke koud!'

Karin deed alsof ze het niet had gehoord en liet verder

elke keer als ze een paard zag een luid 'Ah!' en 'O!' horen. Omdat ze echter in een kwartier tijd heel veel paarden te zien kreeg, werd haar enthousiasme wel minder. De bekoring van het nieuwe verdween. Mireille had gelijk: het werd gewoon! Biezen en struiken werden minder. Zover het oog reikte, ging de weg door een eentonige vlakte. De grond oogde schraal, was vuilgrijs, zat vol scheuren en had een harde bovenlaag van zout.

'Deze grote vlakten worden *sansouires* genoemd,' vertelde mevrouw Colomb. 'Zie je die donkergrijze bosjes? Dat is salicornia oftewel zeekraal, dat zijn planten die van zilte grond houden. Hier groeit ook de lila lamsoor of zeelavendel, het symbool van onze *gardians*.'

Mireille boog zich naar voren om Karin attent te maken op iets aan de horizon. 'Daar kun je Saintes-Maries-de-la-Mer al zien!'

'Het dorp is de laatste jaren heel erg veranderd,' zei mevrouw Colomb, 'helaas niet ten goede.'

Karin kneep haar ogen tot spleetjes. Daar waar de nevelig glanzende horizon de vlakte leek te raken, fonkelde een wittige lijn in het zonlicht. Hoe dichter de auto kwam, des te duidelijker waren de lichte, gelijkvormige huizen aan de beide zijden van de weg te onderscheiden. Een paar huizen in de kenmerkende kleuren en met een rieten dak spiegelden zich in het water van een zoutmeer. Van dichtbij leek de streek eentonig en onaantrekkelijk. Er was hier een nieuwe woonwijk ontstaan. Tussen de stenen en betonnen bouwwerken verkondigden felle borden: 'Huizen te koop', en beloofden fraaie afbetalingsmogelijkheden. Onder leiding van een *gardian*, die zo uit een operette gestapt leek te zijn, trok juist een groep ruiters langs. Ze droegen laarzen, hoeden met een brede rand en bonte vilten doeken naar 'Western'-traditie.

Mireille snoof verachtelijk. 'Hier kan elk uilskuiken een rit van drie uur over twintig kilometer dwars door de streek kopen, zoals je bij de supermarkt een pak diepvrieserwten kunt krijgen.'

'Paardrijden is echt goed voor mensen die gebukt gaan onder het leven in de stad,' zei mevrouw Colomb, 'maar alles heeft zijn beperkingen. Snel verdienen leidt vaak tot misbruik. Onlangs moest het Franse Verbond ter Bescherming van Paarden ingeschakeld worden. De paarden die voor deze uitstapjes worden verhuurd, waren ondervoed en werden onder erbarmelijke omstandigheden gehouden.'

Somber dacht Karin terug aan de woorden van Finette: 'De mens is het paradijs niet waard. Hij kan het alleen maar te gronde richten of vernietigen.'

'Gelukkig bestaat de echte Camargue ook nog,' ging mevrouw Colomb verder, 'ook al moet die zich verschuilen en met prikkeldraad omringen om de rust te bewaren.'

Ze hadden de nieuwbouw verlaten en reden nu over een zanderig pad langs een klein kanaal. De wind ruiste door het riet, dat in dikke schoven op de verdroogde, gebarsten bermen stond.

'We zijn er bijna,' zei Mireille.

'Waar?' vroeg Karin verbouwereerd. 'Ik zie niets.'

Mevrouw Colomb lachte. 'De Camargue is een land vol

verrassingen.' Ze schakelde naar de eerste versnelling om op een doorwaadbare plaats heel voorzichtig het kanaal over te steken. Een smal pad ging tussen het riet door.

Karin zag een gespleten houten bord dat aan een scheve paal hing. Ze kon het ingekerfde opschrift in het voorbijgaan lezen: 'Mas de la Trinité'. Nog altijd ging het uitzicht verborgen achter het hoge riet. Door het open raam was het ruisen van de wind te horen en in het zonlicht dansten fonkelende stofdeeltjes. Opeens werd het rietland dunner. Karin zag een rij hoge pijnbomen. Hun brede kronen wiegden in de lucht heen en weer als enorme, donkere kussens. Het huis dat onder de bomen lag, was groot. Het was naar het zuiden gericht om beschermd te zijn tegen de mistral, de harde wind uit het Rhônedal. De dikke, witgeschilderde muren steunden een laag, bruinrood pannendak. Het gebouw was zo doelmatig en zo eenvoudig dat het vanuit de verte eerder een schuur leek. Pas toen ze dichterbij kwamen, zag Karin de openstaande deur en de vriendelijk groengeschilderde luiken. Langs de muren stonden bloembakken en twee brede, stenen banken. Mevrouw Colomb reed de auto onder een afdak van riet, waar ook al een stoffige landrover stond. Terwijl Mireille en Karin hun bagage uit de kofferbak haalden, kwam een vrouw naar buiten die haar handen aan haar schort afdroogde. Ze was groot en liep kaarsrecht. Een vriendelijke glimlach verhelderde haar hoekige, bruinverbrande gezicht.

'Dat is Regine,' legde mevrouw Colomb uit. 'Haar man, Constantin, is de *baile*, de hoofdopzichter van de kudden.'

'Rijdt hij op Etoile?' vroeg Karin onbevangen en werd

rood als een tomaat toen iedereen de blik op haar richtte en Regine in lachen uitbarstte.

'Mijn hemel, hij kijkt wel uit!' bracht ze moeizaam uit.

'Hij is niet zo gek als mijn broer,' vond Mireille. 'Waar is tante Justine eigenlijk?'

'In haar werkkamer,' antwoordde Regine. 'Ze is bezig met de rekeningen. Om precies te zijn, met de belastingaangifte.'

'Ik denk dat we dan een slecht moment hebben uitgekozen,' zei mevrouw Colomb.

'Ik denk dat ze de auto niet heeft gehoord door de wind,' zei Regine. 'Kom verder, ik zal haar wel waarschuwen.'

Karin had niet gedacht dat het binnen zo koel zou zijn; het leek wel of ze een koele kelder binnenkwam. Aan het eind van een smalle gang leidde een trap naar de bovenverdieping. Er was geen hal, maar je kwam meteen in de voornaamste ruimte, die woonkamer en eetkamer tegelijk vormde. De plavuizen glommen. De witgeschilderde wanden rustten op dikke balken. Op de mantel van de enorme schouw omlijstten twee grote, koperen kroonluchters een aantal stenen vazen, die waren gevuld met verse bloemen. Aan weerszijden van de open haard stond een ongemakkelijk ogende, leren stoel. Verder stonden er, behalve een hoge staande klok met een glimmende slinger, een enorme servieskast en een lange tafel, waarop een bont tafelzeil lag. Boven werd een deur in het slot gesmeten, zware voetstappen denderden de trap af. De vrouw die binnenkwam, schatte Karin op een jaar of vijftig. Ze was fors gebouwd en maakte een stevige indruk. Op haar spijkerbroek droeg ze een geblokt overhemd, waarvan de opgerolde mouwen stevige, bruinverbrande armen onthulden. Ze had ruig, kortgeknipt, grijs haar, scherpe vouwen rond haar mondhoeken, borstelige wenkbrauwen en levendige ogen.

'Hartelijk welkom!' riep ze met daverende stem. Ze omhelsde mevrouw Colomb, drukte Mireille een kus op beide wangen en stak toen Karin haar hand toe. Die zag haar vingers bijna geheel in de enorme knuisten verdwijnen.

'Ah, dat is dus onze Zwitserse gast!' Ze drukte Karin, die een kreet ternauwernood kon onderdrukken, de hand. 'Ik ken je land goed. Zürich is een mooie stad, maar veel te veel mensen en te weinig ruimte. En dan die bergen...' Ze trok een grimas. 'Die beperken de horizon en ze beperken ook hier...' ze sloeg tegen haar voorhoofd, 'waar of niet, kleine meid?'

'Eh ja...' zei Karin met bijna toonloze stem.

Tante Justine was echter alweer ergens anders.

'Regine, breng eens iets te drinken. Wat willen jullie? Wijn? Vruchtensap? Bronwater? We hebben het beste water van de hele Camargue!'

Ze trok een stoel bij, ging zitten en gebaarde de anderen met een handbeweging ook plaats te nemen. Ze begon een gesprek met mevrouw Colomb in een melodieuze taal en sloeg toen zo onverwacht met haar vuist op tafel, dat Karin verschrikt in elkaar dook. Mireille gaf haar een schalkse knipoog.

'Heb je begrepen waar het over gaat?'

'Geen flauw idee!' Karin trok een beetje zielig haar schouders op.

40

Mevrouw Colomb draaide zich glimlachend naar haar om.

'We spreken Provençaals. Alleen is het deze keer helaas geen gedicht over de mistral, maar we hebben het heel prozaïsch over de belasting. Je zult wel gemerkt hebben dat dat onderwerp Justine hels maakt.'

Regine kwam binnen met een kan water en een mandje zoete vijgen. Ze vulde de glazen, die Mireille op tafel had gezet. Karin nam een slok: het water was heerlijk fris en geurde naar oranjebloesem.

'Regine heeft het heel druk,' legde tante Justine uit. 'De veedrijvers komen hier 's middags ook eten en dan is er maar één meisje uit het dorp om haar te helpen.'

'Zes hongerige mannen te eten geven is nu eenmaal mijn dagelijkse lot,' zei Regine.

'En dan heb je het nog niet eens over mijn broer, die voor vier eet!' merkte Mireille op.

'Ja, waar zit Alain eigenlijk?' wilde mevrouw Colomb nu weten.

'Hoe moet ik dat weten? Hij is in alle vroegte weggereden met Caprice. Waarschijnlijk is hij achter Etoile aan.'

Tante Justine lachte daverend. 'Weten jullie dat de veedrijvers een weddenschap hebben afgesloten of het hem gaat lukken of niet?'

Toen keek ze opeens peinzend. 'Ik meen het serieus: als het hem lukt, krijgt hij dat paard. Hij heeft het dan echt verdiend. Jij kunt toch ook rijden, kind?'

Die woorden waren tot Karin gericht, die verlegen haar schouders bewoog.

'Een beetje, ja...'

'Een beetje is niet genoeg,' oordeelde tante Justine.

'Je moet leren met de dieren om te gaan. Mireille zal het je wel leren. Die begrijpt paarden.' Mireille trok een grimas.

'Juist daarom komt het niet in me op om achter Etoile aan te gaan. Ik heb geen zin om mijn botten te breken.'

'Je broer kent dat soort bedenkingen niet. Hij denkt dat...' Tante Justine zweeg en luisterde ingespannen. 'Daar zul je hem hebben! Als je het over de duivel hebt...'

Bijna op datzelfde moment ging de deur open. Karin zag de slanke gestalte van een jongen in het tegenlicht. Pas toen hij dichterbij kwam, kon ze zijn trekken onderscheiden. Hij had de warrige krullen en dezelfde warme ogen als Mireille. Zijn gezicht was echter grover en maakte ondanks zijn openhartige, warme uitstraling een spottende en arrogante indruk.

'Aha, daar is het meisje uit het noorden,' zei hij en drukte haar vluchtig de hand. 'Goede reis gehad?' vroeg hij luchtig.

'Ja, dank je,' antwoordde Karin alleen maar.

Hij ging schrijlings op een stoel zitten, nam een vijg uit het mandje en werkte die in twee happen weg.

'En, heb je Etoile vandaag gezien?' wilde tante Justine weten.

'Gezien, ja, zo kun je het wel noemen.'

Alain sprak heel snel. 'Hij was bij de zoutmijnen. Caprice wilde daar niet mee naartoe. Ik heb twee uur in de modder rondgeploeterd! Onmogelijk om bij die verdraaide knol in de buurt te komen. Opeens was hij verdwenen. Het lijkt wel of hij een propeller onder zijn staart heeft!'

Tante Justine fronste haar voorhoofd. 'Hoezo verdwenen?'

'Verdwenen! Gewoon, in het niets opgelost!' Hij knipte met zijn vingers. 'Als de zon in je ogen schijnt, kun je niets meer zien. Dan spiegelt het overal.'

Tante Justine knikte begrijpend.

'Dat was het juiste moment om het op te geven en terug te gaan voor het eten.'

'Dat vond ik ook.' Alain kauwde smakkend op een vijg.

Er kwam een tenger meisje van een jaar of vijftien binnen. Ze had een bleek, verlegen gezichtje, groette bedeesd en nam toen de borden uit de kast. 'Lieve hemel, het is al bijna middag!' riep tante Justine. 'Louise wil de tafel dekken!'

Mevrouw Colomb stond op.

'Ik ga ervandoor.'

'Blijf je niet eten dan?'

'Nee, ik heb in Nîmes afgesproken met Rémy, dat is de wever die me de omslagdoeken levert. Hij heeft altijd van die prachtige kleuren en ik wil zijn nieuwste spullen zien.'

Iedereen liep met haar mee. Karin knipperde tegen het felle zonlicht. Onder het afdak stond nu een paard naast de wagen. Het was een gedrongen en sterk dier. De borstelige, witgelige manen vielen in zijn ogen, waardoor hij wat wrevelig leek te kijken.

'Dat is Caprice,' zei Mireille en hield Karin, die het dier wilde aaien, aan haar arm tegen. 'Voorzichtig, je moet niet van achteren op hem af gaan. Daar houden paarden niet van en deze hier is er wel bijzonder gevoelig voor.'

'Caprice en ik houden allebei niet van lompe vertrouwelijkheden,' merkte Alain bits op.

Mevrouw Colomb nam afscheid van tante Justine en de kinderen. Ze wenste Karin een fijne vakantie en voegde eraan toe: 'Ik hoop dat de muggen je niet al te veel zullen plagen. Er zitten er in de zomer heel wat!'

'Dit jaar is het niet zo erg,' zei tante Justine en als om haar woorden te logenstraffen, sloeg ze een mug op haar arm dood en tikte hem weg met haar vingers. Iedereen stond te zwaaien toen mevrouw Colomb de auto keerde. Even later verdween ze in een wolk van stof, juist toen aan de andere kant van de weg de groep ruiters opdook.

'Daar zijn de hongerige magen,' zei tante Justine.

De *gardians* stapten af en brachten hun dieren naar het afdak, waar Caprice nukkig opzij ging en stampte.

De mannen kwamen op Mireille af en begroetten haar op Provençaalse wijze. Tante Justine duwde Karin naar voren om haar voor te stellen. 'Dit is onze Zwitserse gast. Ze blijft de maand juli bij ons.'

De mannen tikten met hun hand tegen hun hoed. Ze waren zonder uitzondering gespierd en bruinverbrand, en vrijwel allemaal gekleed in een spijkerbroek. Slechts twee droegen de traditionele klederdracht van de *gardians*: nauwsluitende broek met opgestikte naden, bont hemd, een slappe hoed met een brede rand. Ze hadden allemaal een driehoekig gevouwen doek om hun hals als bescherming tegen de insecten. Geen van hen droeg sporen aan de laarzen. Karin probeerde de namen te onthouden: Jackie, Manuel, Pierre, Martin. Nicolas, die als laatste van zijn paard gleed, was een tengere man met O-benen. Hij kauwde op een stinkende sigaar. Constantin, de *baile*, was een zwijgzame man met stroblonde haren en indringend blauwe ogen. Karin bedacht dat hij voldeed aan haar beeld van een cowboy in een film.

De *gardians* verzorgden eerst hun paarden. Ze zadelden ze af, gaven ze te drinken en deden haver in de voederbak.

Pas toen gingen ze het huis binnen, waar ze hun hoed afnamen. De tafel was gedekt, het eten stond klaar. Tante Justine nam aan het hoofdeinde plaats. Nicolas zat, als oudste, aan de andere kant tegenover haar. Regine die naast haar man zat, liet de schalen rondgaan. Er was rijst, ratatouille, een mengelmoesje van paprika, aubergines en tomaten, met daarbij runderlever met uien.

Onder het eten spraken tante Justine en de *gardians* in hun eigen taal. Karin keek Mireille over haar bord heen vragend aan.

'Ze hebben problemen met Caraque.'

'Wie is dat?'

'Een van de stieren,' zei Alain en had er bijna aan toegevoegd: 'Dat snap je toch wel!'

'Ja, en? Wat is er met hem?' vroeg Karin verbluft.

'Hij zoekt ruzie,' zei Alain.

Karin keek hem aan en wachtte op een nadere toelichting, maar die bleef uit. Alain schepte zich rijst op en at verder. Elk verder gesprek daarover met een meisje leek hij overbodig te vinden.

45

'Tante Justine zei daarnet dat ze morgen de stieren wil bekijken,' vertaalde Mireille. 'Als je niet bang bent, kunnen we wel meegaan.'

'Bang?' zei Karin verachtelijk. 'Zeker niet!'

Opnieuw ontmoette ze Alains blik en zag de spot in zijn ogen, die haar langzamerhand op de zenuwen begon te werken.

'Het zijn geen brave Zwitserse koeien!' zei Alain, als om haar te ergeren.

Karin kromp ineen, ze slikte haar boosheid weg en zocht een passend antwoord. Hoe boos ze ook was, er wilde haar echter niets te binnen schieten.

4

Na het eten werd het stil. De warmte van de middag drukte op mens en dier. Mireille en Karin gingen naar hun kamer, die eenvoudig, bijna bescheiden ingericht was. Een vliegengaas hield de insecten buiten. Er stonden twee bedden met een gestreept, doorgestikt dekbed, en een commode met daarop een koperen lamp. Alleen een kruis met een paar takjes lavendel sierde de wanden.

'De badkamer is hiernaast,' zei Mireille. Ze gaapte, trok haar schoenen uit en ging op het bed liggen.

'Zodra de zon wat lager staat, gaan we op pad.'

Tante Justine had Manuel opdracht gegeven Follet, Mireilles merrie, klaar te maken. Voor Karin moest hij een heel goedig dier uitzoeken.

Het was warm. Karin had geen zin haar spullen uit te pakken. Ze knoopte haar broek los en ging ook liggen. Het was heerlijk om even te rusten.

'Zeg,' zei ze toen, 'denk je dat ik Etoile te zien krijg?' Vreemd genoeg draaiden haar gedachten helemaal om dat paard.

'Te zien misschien wel,' antwoordde Mireille met gesloten ogen. 'Maar maak je geen illusies. Hij laat niemand bij zich in de buurt komen, en hij kan heel onverhoeds aanvallen, wat levensgevaarlijk is. Alain kan je daar alles over vertellen. Wat vind je trouwens van hem?'

'Van Alain? Ach...'

Mireille maakte een afwerend gebaar. 'Laat maar, ik begrijp het al. Maar wees gerust, hij doet niet alleen tegen jou zo. Zo doet hij tegen iedereen. Tante Justine laat bij hem de teugels vieren, want ze heeft zelf geen kinderen, snap je wel? Soms zou ze strenger voor hem moeten zijn als hij te ver gaat.'

Tegen vieren kwam Manuel met de paarden. Toen de beide meisjes beneden kwamen, zat hij juist aan het bier, zijn gezicht nat van het zweet.

'Follet kan me wat! Ze zat helemaal achter in het rietland. Ik had de grootste moeite om haar te vangen. Je moet wel voorzichtig met haar zijn, want ze is niet meer gewend aan de teugel.'

'Dankjewel, Manuel.' Mireille knipoogde naar hem. 'En Karin? Voor haar heb je Etoile gevangen, neem ik aan?'

'Hoe raad je het zo?'

De *gardian* keek Karin vriendelijk glimlachend aan. 'Maak je geen zorgen, meisje! Ik heb Rose voor je gezadeld. Dat dier heeft nog nooit voor problemen gezorgd.' De twee paarden stonden onder het afdak vastgebonden, op enige afstand van Caprice. Follet was een middelgrote, opvallend mooie merrie. Ze had lange, zachte wimpers die over haar glanzende ogen vielen. Rose, die veel zwaarder was, had het gedrongen lijf en de stevige benen van een Camargue-paard.

'Dat is geen paard, dat is een sofa met benen,' hoorde Karin Alain op verachtelijke toon zeggen. Ze had hem niet horen komen en draaide zich nu om.

'Voor mij is een sofa vandaag precies wat ik nodig heb,' merkte ze afgemeten op.

'Kun je wel opstijgen of heb je daar een krukje bij nodig?' Ik zou hem kunnen slaan, dacht Karin. Hij probeert me boos te krijgen en als ik mijn zelfbeheersing verlies, heeft hij lol. Wat een walgelijke vent! Hij kan lang wachten op de sleutelhanger die ik meegenomen heb!

Woedend kauwend op haar kauwgum pakte Karin het hoofdstel, dat aan een balk onder het afdak hing. Toen ze de teugels had omgedaan, zwaaide ze het zadel op de rug van het stampende paard. Bedaard klopte ze op de hals van het dier.

'Rustig maar, rustig! We moeten elkaar eerst eens leren kennen.' Het zadel was anders dan ze gewend was. Zadelknop en zadelriem zaten hoger. Het was niet zo gemakkelijk om ze aan te trekken. Rose zette haar buik op, een teken dat ze in een slecht humeur was. Karin brak haar nagel toen ze probeerde de buikriem aan te trekken. Uiteindelijk lukte het haar wel.

'Dat doe je niet slecht,' stelde Manuel, die was blijven kijken, vast.

Karin kleurde van plezier. Alain zei niets. Hij zat al te paard en keek vanaf de andere kant onverschillig toe. Ze pakte de stijgbeugels en steeg op. Natuurlijk, de soepelheid van een cowboy had ze niet, maar ze had in elk geval geen gezichtsverlies geleden.

Ze gingen op weg. Karin, die naast Mireille reed, zag het lange koord van paardenhaar dat aan de zadelknop van haar vriendin hing.

'Wat is dat?' vroeg ze.

'Dat noemen ze een mecate. Die wordt gebruikt als lasso. Ik zal tante Justine vragen of ze er voor jou ook een heeft.'

'Waar heb je die voor nodig?'

'Om een kalf te vangen!' hoonde Alain. 'Je zou het kunnen proberen!'

'Houd je mond of ga weg!' wees Mireille hem geïrriteerd terecht.

Alain lachte en draafde weg. De hoeven van Caprice deden het zand opdwarrelen.

Mireille zuchtte. 'Sinds jij er bent, gedraagt hij zich echt kinderachtig. Dat kunnen leuke weken worden!'

De weg boog af. Achter het riet strekte zich een enorme vlakte uit, waarop de sporen van paarden en stieren te zien waren. Aan de horizon glinsterde een langgerekte band.

'De zee,' wist Mireille.

De wind was gaan liggen. Ondertussen verbraken de rauwe kreten van de meeuwen de stilte. Er dansten muggen om de ruiters heen. Ze bleven vastzitten in hun haren, kwamen in hun ooghoeken en vlogen hun mond in. In een mum van tijd was Karin op haar armen en haar gezicht gestoken. Het deed lelijk pijn en ze mopperde luid.

'Jakkes.'

Tot haar grote verbazing leken Mireille en Alain nergens last van te hebben en natuurlijk nam Alain de gelegenheid te baat om stekelige opmerkingen te maken.

50

'De muggen steken alleen toeristen. De mensen van hier zijn immuun. Kijk maar!'

Trots liet hij haar zijn blote, bruine armen zien. Karin haalde alleen maar haar schouders op. De weg leidde dwars door het aangeslibde, vlakke land. De gebarsten grond glinsterde van de zoutkristallen. Hier groeide alleen salicornia en er waren veel minder muggen. De paarden waren overgegaan op een galop, die niet vermoeiend was. Karin genoot met volle teugen. De warme lucht, die naar zout rook, streek langs haar gezicht en Rose was inderdaad zo zacht als een hobbelpaard. Ze hadden al bijna de gelijkvormige, ronde duinen bereikt, toen Alain opeens zijn paard intoomde en zijn hand opstak.

'Stop! Moet je horen...'

Ze luisterden. Uit de verte, vanaf het strand, klonk gehinnik.

'Er zijn paarden aan het strand,' zei Mireille. 'We moeten er tegen de wind in naartoe, anders slaan ze op de vlucht.'

'Zijn het wilde paarden?' vroeg Karin.

'Eigenlijk niet. Ze zijn allemaal van een stoeterij, maar sommige zijn niet te temmen.'

'Wilde paarden bestaan eigenlijk niet meer,' zei Alain. 'Misschien een enkeling...'

Karin keek hem aan, verbaasd over de vreemde trilling in zijn stem, waarin niets meer van de gebruikelijke spot doorklonk. Alsof hij er spijt van had dat hij zijn gevoelens had laten blijken, spoorde hij Caprice met een bruuske beweging aan. Achter elkaar reden ze door de duinen. De paarden hadden lucht gekregen van de nabijheid van hun soortgenoten. Ze spitsten hun oren. Opeens begon Rose te hinniken. De plotselinge uitbarsting, waarbij haar flanken uitzetten, verraste Karin. Alain keek woedend naar haar om.

'Je had moeten voorkomen dat ze ging hinniken!'

'Voorkomen? Hoe dan?' stamelde Karin verbouwereerd.

'Door haar neusgaten dicht te houden, zo...!'

Hij deed het voor.

'Nu hebben ze ons gehoord en gaan ze ervandoor.'

'Valkoog moet niet de moed verliezen,' zei Mireille spottend.

'We vinden de mustangs heus wel voor het avond wordt.'

Ze lieten de duinen achter zich, voor hen lag het strand. Aangespoelde algen vormden donkere vlekken op het witte zand. De kalme, vlakke zee weerspiegelde de wolkeloze blauwe lucht. Precies op de grens van water en zand liep een groep paarden. Het waren merries met ronde flanken en twee of drie nog niet volwassen jonge dieren. Ze bleven doodstil staan kijken naar de ruiters. De geheven hoofden en de opgezette neusgaten drukten onrust en wantrouwen uit. Een van de paarden stond wat afzijdig. Toen Karin de hengst zag, miste haar hart een slag. Hij was niet gedrongen zoals de meeste Camargue-paarden, maar stond heel hoog op zijn benen. Zijn hals en borst waren zo imposant, zijn benen zo fijn gevormd dat hij, van een afstand bekeken, alle paarden die Karin ooit had gezien, in waardigheid en schoonheid overtrof. De wind speelde door zijn prachtige, dikke manen en zijn staart was zo lang, dat hij door het water sleepte. Zijn brede schouders en de stevige gewelfde flanken straalden ongebroken kracht en temperament uit. 'Etoile en zijn harem,' fluisterde Mireille. 'Ongelooflijk! Ik heb hem nog nooit van zo dichtbij gezien...'

'Bek dicht!' siste Alain.

Hij leek verstard, gehypnotiseerd.

Opeens stootte de hengst een soort gegrom uit. Hij stampte met een van zijn hoeven op het zand. Karin voelde dat Rose trilde. Ze boog zo onverwacht haar hoofd dat de teugels in Karins handpalmen sneden, en stootte een schril hysterisch gehinnik uit. Het leek een geheim signaal dat zich onder de kudde verspreidde. Op hetzelfde moment zetten alle paarden zich in beweging en galoppeerden weg. Etoile bleef in de achterhoede en keek hinnikend om naar de indringers. Karin kon nog net zijn sterke, gele tanden en zijn fonkelende, zwarte ogen zien, maar toen ging de hengst er met een enorme sprong vandoor. In minder dan geen tijd had hij de kudde ingehaald, galoppeerde er schijnbaar moeiteloos voorbij en ging aan kop. De paarden vluchtten door het hoog opspattende water. Pas nu ontwaakte Alain uit zijn trance. Met een bruusk gebaar drukte hij zijn hakken in de flanken van zijn paard. Stukken zand vlogen in het rond toen Caprice door de duinen galoppeerde. In een paar passen was Follet naast hem. Rose volgde. Door de heftige beweging waarmee haar paard naar voren schoot, was Karin bijna uit het zadel gevallen. Ze drukte haar knieën in de flanken en zocht de stijgbeugels. Wat een rit! Ze had nog nooit in zo'n galop gereden. Ze had echter geen tijd om erover na te denken, want haar enige probleem was nu om in het zadel te blijven. De andere twee lieten haar ver achter zich, maar wat deed het ertoe? Karin wist dat ze de hengst niet konden inhalen en voelde zich vreemd gelukkig.

Wat verderop aan het strand waren mensen aan het zwemmen. Etoile had ze ontdekt. Hij vertraagde zijn galop en ging in de richting van de *sansouires*. De kudde leek langzamer te gaan; kennelijk konden de jonge dieren het tempo niet volhouden. Ze bogen af in de richting van het rietland. De hengst bleef in razend tempo verdergaan. Als een bezetene spoorde Alain Caprice aan tot snelheid. Mireille staakte de achtervolging en liet Follet stapvoets verder gaan.

Met vuurrode wangen riep ze Karin toe: 'Heb je hem gezien? En dat op je allereerste dag – wat een geluk!'

De hengst galoppeerde verder over de kale vlakte. Hij werd steeds kleiner, nietiger, spookachtiger en verdween in de nevel. 'Alain kan hem nooit inhalen,' zei Karin met een vreemd gevoel van tevredenheid.

'Natuurlijk niet,' antwoordde Mireille. 'Niemand zal hem ooit vangen.'

Karin liet zich uit het zadel glijden en ging in het zand zitten. Ze transpireerde, haar knieën trilden en alles deed pijn. Op de neuzen van haar laarzen zat schuim van het paard.

'Moe?' vroeg Mireille.

Karin glimlachte wat mat. 'Ik heb het gevoel of er een wals over me heen gegaan is.'

Een poosje later kwam Alain terug. Hij liet de vermoeide Caprice stapvoets gaan. Zijn onheilspellende blik deed alle vragen in de kiem smoren. De meisjes wisselden alleen even een blik en Karin draaide haar hoofd af om een glimlach te verbergen.

'Zullen we teruggaan?' stelde Mireille voor.

Karin kwam overeind. Ze klopte het zand van haar broek en steeg ondanks haar pijnlijke ledematen weer op. De zon zakte steeds verder in de richting van de zee. De wind werd frisser. Langzaam en zwijgend reden ze terug naar de 'Mas'.

5

Karin droomde dat ze, door de lucht gedragen, over een grenzeloze vlakte gleed. In de verte zag ze vanaf grote hoogte Etoile vliegen. Het lichte bewegen van zijn hoeven was eerder een zweven dan een galop. Zijn manen wuifden als algen. Hoe snel de hengst echter ook was, hij kon haar niet ontsnappen. Ze zag zichzelf op hem neerdalen als een grote vogel. Haar armen, haar knieën omknelden hem. Ze vlogen tot het eind van de wereld...

Een luid kabaal deed haar wakker schrikken. Mireille duwde de luiken open.

'Opstaan! Het is zeven uur. We gaan met tante Justine naar de stieren.'

'De stieren?' fluisterde Karin.

Ze verkeerde in het onduidelijke gebied tussen droom en werkelijkheid. Het felle zonlicht en het lawaai dat Mireille maakte, deden haar echter helemaal wakker worden. Ze zette haar blote voeten op de grond.

'Ik... ik droomde dat ik op Etoile reed!'

Mireille, die haar spijkerbroek aantrok, lachte. 'Dan weet je in elk geval zeker dat het een droom blijft. Voortmaken! Ik wacht beneden op je!'

Karin waste zich en kleedde zich zo vlug mogelijk aan.

Ze had veel spierpijn en de minste of geringste beweging deed haar kreunen. Heel kalm daalde ze de trap af.

Het ontbijt stond al klaar. Tante Justine sneed dikke boterhammen af.

Karin vertrok haar gezicht, toen ze behoedzaam op haar stoel ging zitten. Tante Justine keek op. 'Wat is er gebeurd? Ben je op een spijker gaan zitten?' Ze droeg een *gardian*-hoed en een sjaal met stippels. Haar benen staken in hoge rubberen laarzen.

Mireille proestte het uit. 'Heel simpel: haar achterwerk doet pijn – dankzij Rose.'

'Je moet je verkrampte spieren ontspannen,' zei tante Justine. 'Geef je kopje eens! Drink je je koffie zwart of met melk?'

'Met melk alstublieft.' Karin besmeerde haar boterham. 'Waar is Alain?' vroeg ze.

Tante Justine en Mireille keken elkaar even aan. 'Dat zouden wij ook wel eens willen weten,' bromde tante Justine. 'Hij is in alle vroegte vertrokken zonder zijn bed op te maken en zonder te ontbijten. Hij zal wel weer achter Etoile aan zijn.'

'O,' zei Karin en voelde een steek door haar hart.

'Hij zal vast wel weer eens opduiken,' veronderstelde tante Justine, 'zonder het paard natuurlijk, maar met een paar builen meer.' Ze duwde haar stoel met veel geraas naar achteren. 'Als jullie klaar zijn, kunnen we vertrekken.'

Karin ontbeet haastig af en ging toen snel naar buiten. Mireille zadelde Follet. Tante Justine, leunend op een drie-tandige vork, had een grote, zware hengst aan de teugel.

Ze wees Karin op een zwarte vlek op het voorhoofd van het dier, die de vorm van een esdoornblad had. 'Dat lijkt net het embleem van de Canadese vlag. Daarom heet deze hengst ook Canada. Voorzichtig hoor, hij houdt niet van strelen.'

Kritisch keek ze toe hoe Karin Rose zadelde. ''s Morgens vroeg, als een paard gedronken heeft, moet je de buikriem niet te strak aantrekken.'

Toen Karin haar voet in de stijgbeugel zette, moest ze haar kiezen op elkaar zetten om het niet uit te schreeuwen van de pijn. Ze liet tante Justine en Mireille voorgaan. Op dit vroege uur was de Camargue niet zilverachtig van kleur, maar goud: de hemel, de vlakte, de bomen en het riet glansden. Vurige zonnepijlen schoten over de meren. De lucht was fris. Krijsende meeuwen gleden met uitgespreide vleugels door de lucht en leken heerlijk vrij. Karin werd in beslag genomen door de grenzeloze uitgestrektheid en moest denken aan haar droom. Ze zag voor zich hoe Alain Etoile had gevolgd. Ze dwong zichzelf er niet aan te denken, want – hoewel ze niet wist waarom – het was een ondraaglijke gedachte.

De ruiters volgden het pad dat mensen en dieren in de loop der jaren in het zand hadden gestampt. Met haar drietand wees tante Justine op groene eilandjes in het midden van de meertjes. 'Die eilandjes noemen we drijvers. Als het droog is, zijn ze het toevluchtsoord voor de dieren, want de bodem is er altijd zanderig en het groen blijft groen.

Langer dan een half uur reden ze langs een doorzichtig blauw meer, waarvan de oever vol stond met graspollen en salicornia. In de modder stapten reigers rond. De wind ruiste door het riet, dat zo hoog was dat een volwassene er gemakkelijk in kon verdwijnen. De zon kwam hoger en de muggen verschenen. Karin deed haar mouwen naar beneden, knoopte haar kraag dicht en sloeg om zich heen. Tante Justine mocht dan beweren dat muggen nodig waren voor het natuurlijk evenwicht van de fauna, maar het feit dat de inheemse bevolking er nooit door geplaagd werd, wekte bij Karin de indruk dat de kwelgeesten het speciaal op haar gemunt hadden.

Ze naderden een klein bos van pijnbomen en jeneverbesstruiken met kreupelhout van gamander, geitenblad, brem en nog veel meer struiken.

'Daar ligt de wei!' riep tante Justine.

Ze wees op een afrastering van draad die half overdekt was door de struiken. Ze volgden de versperring tot een grote houten poort, waar in de dwarsbalken het embleem van het landgoed was gesneden: een stierenkop met tussen de hoorns een hoofdletter T.

'Jullie moeten bij mij in de buurt blijven,' gebood tante Justine. 'En niet bang zijn! De stieren zijn niet gevaarlijk als je je aan de spelregels houdt.'

Onder het gebladerte werden nu de omtrekken van de bereden *gardians* zichtbaar. Een van hen kwam hen tegemoet. Het was Pierre, een jonge knul met lange zwarte haren, die net als zigeuners een gouden oorring droeg.

'Hallo Pierre!' riep tante Justine. 'Hoe gaat het vandaag?'

'Gaat wel,' antwoordde de stierenhoeder.

'Dan wil ik wel eens kijken,' zei ze.

Tante reed met Pierre stapvoets voorop, de beide meisjes volgden.

'Ze zijn daar achter,' zei Mireille tegen Karin.

Met zijn tweeën of met zijn drieën stonden de potige stieren onbeweeglijk als rotsen in het hoge gras. Ze werden steeds groter, naarmate de paarden dichterbij kwamen. Karin slikte. Haar keel werd dichtgesnoerd van angst. Ze kon de enorme rug, de gespierde nek, de naar voren gerichte sabelvormige hoorns al zien. De dieren leken de ruiters met hun blik te volgen en de afstand te schatten.

Af en toe schudden ze, geïrriteerd door een paarden-vlieg, nijdig met hun indrukwekkende kop. Als een hoef al te strijdlustig over de grond schraapte, riep Pierre ze bij de naam om ze te kalmeren.

'Hé, Bliksem! Braaf, Tramontan!'

Die kreten leken de grote dieren inderdaad tot bedaren te brengen. Hoewel het angstzweet Karin uitbrak, bewonderde ze de macht van de stem, die de vechtlust wist te temperen. Een andere *gardian* kwam dichterbij. Het was de oude Nicolas met zijn dikke sigaar in de mond. Karin zuchtte. Dat was een ideaal middel tegen muggen. Jammer, dat ze van roken altijd misselijk werd...

'Fijn dat jullie er zijn,' zei Nicolas met zijn nasale stem-geluid. 'Caraque is nog altijd chagrijnig.'

'Waar is hij dan?' vroeg tante Justine.

'Daar onder de gamander.'

'Jaag hem eens op,' zei tante Justine tegen Pierre.

Pierre stuurde zijn paard in de richting van de stier, die op de grond lag. Toen hij er bijna was, stopte Pierre en schreeuwde: 'Ohé, Caraque!'

60

Bij het horen van zijn naam stond het grote beest traag en moeizaam op. Karin was onder de indruk van zijn enorme kracht. Het geweldige dier hief zijn kop en snuffelde. Er trok iets in het gespierde lichaam, dat glom als een donkere spiegel. De nek zwol en de staart sloeg tegen de flanken.

'Hij heeft ruzie met Vaillant,' zei Nicolas. 'We hadden de grootste moeite om een bloedbad te voorkomen, en het zorgt bovendien voor onrust in de kudde.'

Tante Justine lachte. 'Onze kleine Vaillant is groot geworden. Kennelijk ziet Caraque zijn alleenheerschappij aangetast.'

Karin volgde haar blik. Vaillant was een jong en sterk dier met een kastanjebruine huid en een witte vlek op het voorhoofd. Hij had zijn volle grootte nog niet bereikt, maar aan alles aan hem, zijn afmetingen en zijn gewei, was te zien dat hij over niet al te lange tijd een krachtige stier zou zijn.

'Hij is pas drie,' zei tante Justine. 'Over een jaar is hij volgroeid. Het zou jammer zijn als hij voor die tijd verminkt raakte.'

Ze keek weer naar Caraque, die langzaam om zijn as draaide, om in de wind zijn tegenstander te ruiken. Constantin, de hoogste baas van de *gardians*, was ondertussen met twee andere mannen aan komen rijden. De *manadière* en de *baile* begrepen elkaar met één enkele blik.

'Die oude heeft nog te veel kracht in zijn botten, hij zal Vaillant tot moes stampen,' zei tante Justine niet zonder hartelijkheid. 'We moeten ze uit elkaar halen en...' Ze

zweeg even en staarde naar een ruiter, die als een wervel-
wind uit het verderop gelegen bos aan kwam stormen.

'Wie is die domoor eigenlijk?'

Met hangende teugels galoppeerde de nieuwkomer
langs het meer, dat de weide aan de zuidkant begrensde.

'Dat is Alain!' riep Mireille verbijsterd uit.

Tante Justine slaakte een verwensing. 'Is hij soms helemaal gek geworden?'

'Hij komt naar ons toe en moet langs Caraque,' merkte
Constantin bezorgd op.

Tante Justine liet een diep gebrom horen. 'Daar zal Caraque niet blij mee zijn... Hier blijven!' beval ze de beide
meisjes.

Met de drietand stevig in haar hand, dreef ze haar paard
naar voren, om tussen de stier en de ruiter te gaan staan.
Ondanks zijn gebogen kop had Caraque aan het trillen van
de grond gevoeld dat er iemand aan kwam. Zijn staart
sloeg heftiger heen en weer. Zijn hoef schraapte over de
grond. Opeens viel hij aan en wierp zijn gewicht van vier-
honderd kilo razendsnel naar voren. Karin onderdrukte
een kreet, maar tante Justine had het monster de weg al
versperd. Caraque ging tekeer als een bezetene, maar bleef
toch staan, tegengehouden door het ijzer van de drietand.
Hij maakte echter geen rechtsomkeert, maar boog ondanks
de pijn zijn kop om te stoten. Constantin snelde te hulp. De
stier zag hem vanuit zijn ooghoeken komen en ging blindelings op de nieuwe tegenstander af. Op datzelfde moment kwam Nicolas, die zijn brandende sigaar in het zand
gegooid had, vanaf de andere kant toegesneld. Constantin

leidde Caraque in tegenovergestelde richting af, zodat Nicolas de stier in volle galop met de drietand kon steken. Op die manier lukte het hen de van woede snuivende stier naar het meer te drijven, waar hij zich brullend in het opspattende water liet vallen.

Terwijl Karin de van opwinding trillende Rose met beide handen vasthield, zag ze hoe tante Justine op Alain af ging om hem als een konijntje in zijn nek te pakken en links en rechts een flinke draai om de oren te geven. Haar luide stem was tot ver in de omtrek te horen: 'Ik had je toch verboden om alleen naar de stierenwei te gaan? Je hebt geen drietand. Als Caraque je aangevallen had, was je nu zo lek als een zeef geweest!'

Alain, die zijn stampende paard met moeite kon beheersen, hief zijn elleboog om zich te beschermen. Zijn gezicht was vuurrood van woede over zo'n enorme vernedering.

'Laat mij nou ook eens iets zeggen! Het gaat om Etoile!'

'Om Etoile?'

'Etoile is over de afrastering gesprongen!'

Tante Justine liet haar hand zakken. Op haar gezicht stond ontzetting te lezen.

'Dat heb je gedroomd,' zei ze opeens veel rustiger. 'Er is geen paard dat over het prikkeldraad kan springen.'

'Maar hij is eroverheen gesprongen, ik zweer het!' antwoordde Alain opgewonden. 'Ik ben hem dwars door de meren gevolgd. Bij Bac du Sauvage kon ik hem uiteindelijk in het nauw drijven. Hij galoppeerde min of meer op de afrastering af en holde aan de andere kant weer verder.'

Constantin en Nicolas waren teruggekomen, nadat ze

Caraque hadden weggejaagd. Karin zag hoe ze elkaar even aankeken.

'En waar is hij dan nu?' vroeg Constantin.

Alain wees naar het bos aan de andere kant van het meer. 'Daar ergens.'

Constantin fronste zijn voorhoofd. 'Als hij zich in de buurt van de weide waagt, worden de stieren kwaad. Hij moet daar weg voordat hij onheil kan aanrichten.'

'Ik wil het eerst eens met eigen ogen bekijken,' zei tante Justine en zette met een resoluut gebaar haar hoed recht. 'Pierre, Manuel, jullie blijven bij de stieren. Ik wil niet nog meer toestanden.'

Ze ging met Constantin en Nicolas, die een nieuwe sigaar had opgestoken, voorop. Alain volgde met een somber gezicht. Op zijn rode wangen waren nog de sporen van de vingers van tante Justine te zien. 'Ouwe feeks,' knarsetandde hij.

'Voor het geval je het nog niet gemerkt had: die ouwe feeks heeft je wel het leven gered,' zei Mireille. 'De wei is geen voetbalveld. De *gardians*...'

'Vlieg op met de *gardians*,' viel hij haar bruusk in de rede. 'Ik wil dat paard hebben en ik zal het krijgen!'

'Hoe meer je op hem jaagt, des te nerveuzer hij wordt.' Mireille was nijdig. 'Op een dag draait hij helemaal door en dan kan tante Justine weinig anders doen dan hem afmaken.'

'Logisch,' zei Karin tegen Alain. 'Je kunt beter proberen zijn vertrouwen te winnen.'

Dat had ze niet moeten zeggen. 'Wat weet jij daar nu

van?' snauwde Alain. 'Weet je misschien ook hoe je zoiets moet aanleggen?'

'Ik...' Karin beet op haar onderlip, want het was niet het juiste moment hem uit te dagen.

'Daar heb je hem!' riep Constantin opeens.

Etoile was aan de rand van het bos verschenen en draafde nu langzaam door het ondiepe water van het meer. Opeens bleef de hengst staan, hief zijn hoofd om de wind te ruiken.

'Hij heeft ons geroken,' zei tante Justine. 'We moeten hem van de wei af drijven. Nicolas, jij gaat vlug naar de stieren. Constantin, jij gaat met mij mee.'

Toen de ruiters naderden, deed Etoile een paar aarzelende stappen. Zijn hoef schraapte over de drassige bodem. Opeens snoof hij en maakte een halve draai. Het water spatte op toen hij wegsprong en in het kreupelhout verdween.

'Daar komt hij niet verder,' zei tante Justine. 'Het struikgewas is te dicht. We moeten hem naar de poort drijven.'

Constantin knikte. 'Ik zal het vanaf de achterkant proberen.' Hij wendde zijn paard.

Alain slaakte een kreet. 'Laat mij dat doen! Ik wil hem vangen!'

Voordat hij zijn paard de sporen had kunnen geven, greep tante Justine de teugel van Caprice en trok die stevig aan.

'Jij blijft hier, domoor!'

Er kraakten takken in het kreupelhout. Door het ondoordringbare struikgewas was de hengst gedwongen om te keren. Met verwarde manen en een wilde blik in zijn ogen kwam hij nu weer in het volle licht. Heel even werd tante Justine afgeleid, en daar maakte Alain razendsnel gebruik van. Zijn hakken boorden zich in de flanken van het paard en Caprice galoppeerde weg in de richting van het meer. Etoile rilde. Zijn houding verried waakzaamheid, voorzichtigheid. Hij leek het terrein te in zich op te nemen. Constantin naderde hem van achteren, Alain bedreigde hem vanaf rechts. De enige uitweg leidde precies naar die kant, waar hij de muskusgeur van de stieren rook. De ervaring had hem geleerd bang voor de stieren te zijn, maar vergeleken bij de twee mensen die hem bedreigden, leken de stieren minder gevaarlijk te zijn. Hij zette alles op het spel. Zijn lange, dikke manen wuifden in de wind, toen hij rechtstreeks op de wei afging.

'Val dood!' zei tante Justine knarsetandend. Ze wendde haar paard en schoot ervandoor om Etoile de weg af te snijden. Hij ontweek haar. Zijn wantrouwen jegens mensen was net zo sterk als zijn vrijheidsdrang. Hij galoppeerde blindelings weg. Niet alleen zijn onmetelijke kracht gaf hem snelheid, maar ook zijn angst en zijn haat.

De stieren voelden hem aankomen. Afwachtend bleven ze staan, de koppen gebogen en met trillende flanken. De hengst naderde met dreunende hoefslag. Aarde en gras vlogen in het rond. Toen ze hem zagen, bleven de stieren doodstil staan, in verwarring gebracht door een schepsel dat geen soortgenoot was. In minder dan geen tijd had Etoile de weide achter zich gelaten en was buiten de gevarenzone. Voor Karin leek het of de tijd stil bleef staan toen hij op het prikkeldraad afstormde.

Pas op het laatste moment zag Etoile de hindernis. Hij trok zijn benen in. Alsof bovennatuurlijke krachten hem vleugels gaven, ging hij omhoog. Hij had de afzet echter te krap bemeten. Een van zijn benen bleef in het prikkeldraad hangen en abrupt stortte hij met zijn hele gewicht op zijn knie en viel om.

Onwillekeurig sloot Karin haar ogen. Toen ze ze weer opendeed, was Etoile alweer overeind gekomen. Met gebogen hoofd bleef hij even staan, alsof hij niet kon geloven wat er was gebeurd. Daarna deed hij een onhandige stap en verdween hinkend onder de tamarinden.

De lange stilte werd doorbroken door een gebrom. De oude Nicolas lachte. 'Daar heb je het gedonder in de glazen! Nu is hij niet alleen maar hartstikke gek, maar ook nog eens kreupel!'

Karin schrok. 'Heeft hij... heeft hij een been gebroken?' vroeg ze ontdaan.

Mireilles stem leek van heel ver te komen. 'Daar lijkt het wel op. En in elk geval is er infectiegevaar.'

Karin zag Alain aankomen. Hij zat ineengedoken in het zadel. Door zijn koppige en lompe gedrag had hij het ongeluk veroorzaakt. Alleen door zijn schuld was Etoile gewond, misschien wel voor altijd kreupel.

'Jij halvegare!' beet Mireille hem toe. 'Heb je nu je zin?'

Alain slikte. 'Ik kon toch ook niet weten... ik bedoel...'

'Houd je mond!' zei tante Justine zonder haar stem te verheffen. Ze nam haar hoed van haar hoofd en veegde met haar mouw langs haar gezicht. 'Is hier niets te drinken, verdraaid nog aan toe? Ik sterf van de dorst!'

67

6

'We moeten Etoile vangen om te zien wat we kunnen doen,' zei tante Justine.

Ze keek nog altijd nijdig, maar ze wist zich te beheersen. Constantin had zijn veldfles met heel zoete koffie rond laten gaan. Behalve Alain leek iedereen weer een beetje in balans te zijn. Nicolas trok onophoudelijk aan zijn sigaar. Karin kreeg de rook in haar gezicht en waaide die weg met haar hand.

'Als de Parijzenaars het dier zo zien, zullen ze ons ervan beschuldigen dat we de paarden slecht behandelen,' bromde de oude man. De 'Parijzenaars' was voor Nicolas een verzamelwoord voor alle vakantiegangers, die hij verantwoordelijk hield voor de teloorgang van de Camargue.

Tante Justine streek over haar haren en zette haar hoed weer op. De koffie had haar wat gekalmeerd. 'Pierre, Manuel, jullie gaan Etoile zoeken. Maar voorzichtig. En zonodig...'

Ze maakte haar zin niet af en Karin vroeg zich bezorgd af wat ze had willen zeggen. Alain, die stil had zitten luisteren, verbrak nu de stilte.

'Ik ga mee!'

'Dat mankeert er nog maar aan!' riep tante Justine uit. 'Je hebt al genoeg onheil aangericht.'

Alain werd rood tot achter zijn oren. De verwijtende blikken van de *gardians* brachten hem van zijn stuk. 'Maar je vond het goed dat ik Etoile zou vangen!' riep hij uit. 'Moet je daarom zo schreeuwen?' Alain dwong zichzelf rustiger te praten. 'Je hebt me beloofd dat ik Etoile mocht hebben,' siste hij tussen zijn op elkaar geklemde tanden door. Tante Justine knikte. 'Dat was een grote fout van me,' zei ze toen. Ze trok Canada's buikriem weer aan. 'Om een paard te temmen, moet je beschikken over gezond mensenverstand en fijngevoeligheid.'

'Etoile is hartstikke gek!' verweerde Alain zich. 'Hij reageert niet zoals een gewoon dier.'

'Een reden temeer om voorzichtig met hem te zijn,' zei tante Justine ijzig. Ze sprong op haar paard. Vanuit het zadel keek ze op hem neer. 'Als je nog één keer probeert om achter Etoile aan te gaan, zul je wat beleven!' zei ze toen en keek vervolgens naar Pierre en Manuel: 'Jullie zorgen ervoor dat hij met rust gelaten wordt.'

Alain deed zijn mond open en weer dicht. Hij maakte Caprice los en sprong in het zadel. Karin zocht Mireilles blik, maar Mireille kamde haar haren en had nergens anders belangstelling voor. Toen raapte Karin al haar moed bij elkaar en vroeg: 'Tante Justine, mogen wij alstublieft mee?'

De *manadière*, die de drietand in haar hand hield, keek haar verstrooid aan alsof ze Karins aanwezigheid helemaal vergeten was. 'Waarom niet?' zei ze toen. 'Maar geen domme dingen, goed begrepen?'

Zolang ze op de weide waren, lieten Pierre en Manuel hun paard stapvoets gaan om de stieren niet op te jagen. Buiten de poort reden ze langs het hek tot de plaats waar de hengst eroverheen gesprongen was. Hier lieten ze zich uit het zadel glijden om naar sporen te zoeken. Bij zijn val had de schimmel gras en struiken geplet. Aan het prikkeldraad hing een stukje bloederig vel. Karin keek de andere kant op.

'Hij moet een vreselijke wond hebben,' bromde Pierre.

Alain deed alsof hij niets gehoord had. De afdruk van de hoeven was ongelijkmatig, maar vrij duidelijk te zien. In de buurt van de afrastering had de hengst kennelijk geaarzeld, want er stonden veel hoefafdrukken op dezelfde plaats, maar vervolgens boog het spoor duidelijk af in de richting van het moeras.

Achter elkaar volgden de ruiters het pad, dat Etoile zich door het riet gebaand had. Talloze vliegen en muggen dansten in de lucht en Karin bleef krabben. Het droge riet ritselde waar de groep passeerde en de halmen sloegen in hun gezicht. In de buurt van het moeras werd het riet steeds dichter en was het spoor van Etoile nauwelijks nog te zien.

'Als hij een been gebroken had, zou hij al lang in elkaar gezakt zijn,' zei Manuel.

Karin kreeg weer hoop. Het was nog niet verloren! Een wond, ook al was het een ernstige, kon genezen. Van opluchting vergat ze de warmte, haar vermoeidheid en de hinderlijke insecten.

Met luid gefladder steeg opeens een zwerm eenden op uit het riet.

'Daar!' riep Karin met bonzend hart.

Op nog geen honderd meter bij haar vandaan, wuifde het riet. Manuel schudde zijn hoofd. 'Daar achter ligt een *roubine*! Er vaart waarschijnlijk iemand langs.'

Roubines, had Karin al gehoord, waren natuurlijke of kunstmatige kanalen, waardoor het water van de meertjes naar zee werd afgevoerd.

De *gardians* hadden gelijk. Even later hoorden ze het lichte plonzen van een roeispaan. Op een open plek zagen ze de boot kort daarna door het water glijden. Tot haar verwondering zag Karin een vrouw die de boot staande met een lange stok voorwaarts duwde. Toen ze de ruiters zag, stopte ze even. Ze was klein, tenger en donkerbruin verbrand. Haar grijze haren had ze in haar nek tot een knot gebonden. Leeftijd, zon en werk hadden haar gelaatstrekken bepaald, maar de grote bruine ogen en de vorm van haar gezicht verraadden dat ze ooit een knappe vrouw geweest was. Ze droeg een wijde, blauwige rok en een wijde, verschoten herentrui. Aan haar bruine voeten had ze geen schoenen.

'Hallo, Thyna,' zei Mireille vriendelijk. 'Een goede vangst gehad vandaag?' De oude vrouw wees zwijgend naar de half openstaande mand, waarin een paar visjes lagen.

De dorstige paarden bogen hun hoofd naar het water om te drinken. De vrouw zweeg verder.

'Heb je Etoile toevallig gezien?' vroeg Pierre. 'Hij heeft zich bezeerd aan het prikkeldraad en we moeten hem vinden om de wond te desinfecteren.'

Thyna boog een stukje naar voren. 'Is Etoile gewond?'
Hoewel ze helemaal niet naar Alain had gekeken, was hij degene die met een koppig gezicht zei: 'Het is niet mijn schuld! Hij is over de afrastering gesprongen en heeft daarbij zijn been opengehaald.'

De blik in de donkere ogen van de vrouw ging zijn kant uit. 'Dus je hebt weer eens achter hem aan gezeten, ja?'

'Nou en?' antwoordde hij hooghartig. 'Tante Justine vond het goed dat ik hem zou vangen.'

Thyna schudde haar hoofd. 'Etoile is niet te vangen...'

'Precies!' liet Karin zich ontvallen.

De houding van de oude vrouw veranderde nauwelijks, maar er kwam een aandachtige, onderzoekende uitdrukking op haar gezicht.

'Wie ben jij en waar kom je vandaan?' vroeg ze zacht, bijna alleen voor hen beiden verstaanbaar.

Karin noemde haar naam. De monsterende blik bracht haar in verwarring en ze kon er alleen maar stotterend aan toevoegen dat ze hier met vakantie was. Haar antwoord leek de vrouw koud te laten, maar de blik in de sprekende, glanzende ogen bleef op Karin gericht.

'Ik zie het teken,' zei ze opeens nog zachter.

'Wat voor een teken? Waar?' vroeg Karin verbijsterd.

'Hier,' zei Thyna ernstig. Ze bleef Karin aankijken, hief haar hand en legde die op haar bruine voorhoofd. 'Hier, ik zie het heel duidelijk.'

Karin keek naar Mireille, die haar schouders ophaalde. In de daaropvolgende stilte schraapte Pierre zijn keel.

'Dus, heb je het paard gezien?'

De oude vrouw kneep even haar ogen dicht. Sluw keek ze hem aan. 'Wie weet. Misschien wel, misschien niet.'

De twee *gardians* keken elkaar even begrijpend aan: genoeg tijd verdaan!

'Als je hem ziet, moet je ons waarschuwen,' zuchtte Pierre. 'Het dier is gewond en we zouden hem niet graag afmaken.'

Ze gaven hun paarden de sporen, terwijl Thyna de boot langzaam verder liet glijden. Nog een laatste keer keek ze Karin aan, die zonder reden vuurrood werd. Ze had de vreemde, maar niet bepaald onaangename, indruk dat de blik in deze bijzondere ogen haar las als een open boek.

'Wie is dat? Een zigeunerin?' vroeg ze. Mireille lachte.

'Ja, een *gitana* uit de stam van de Manouches. Ze is uit deze streek afkomstig en woont nu alleen in een hut van tante Justine. Ze eet de vis die ze vangt en bedelt wat bij elkaar. Ze is een beetje vreemd, maar verder ongevaarlijk.'

'Ik kon haar niet zo goed volgen.' Karin wreef over haar voorhoofd. 'Zie jij het teken dat ik zou hebben?'

'Je hebt een muggenbeet tussen je wenkbrauwen. Ze heeft waarschijnlijk gedacht dat dat een teken was.'

'Het is een heks,' mengde Manuel zich nijdig in het gesprek. 'Ik durf er wat onder te verwedden dat ze Etoile gezien heeft.'

'Waarom heeft ze dat dan niet gezegd?'

'Precies, dat vraag ik me ook af...' Met een beledigd gezicht hulde Alain zich verder in een vijandig stilzwijgen. Karin bedacht in stilte dat hij wel last zou hebben van een slecht geweten. Ze dacht aan wat Thyna had gezegd:

'Etoile is niet te vangen...' en vroeg zich af wat de zigeunerin daarmee had bedoeld.

Ze reden verder, maar zonder enig succes doorkruisten ze het rietland en de oever van het meer. Het was al lang middag geworden toen ze terugkeerden naar de 'Mas'. De zon brandde hoog aan de hemel. Tante Justine, die alleen van de weide was teruggereden, nadat ze had besloten Caraque aanstaande zondag in Aigues-Mortes te laten vechten om zijn strijdlust wat in te dammen, was ook alweer thuis. Het ongeluk van Etoile hield iedereen bezig en onder het eten heerste er een gedrukte stemming.

Toen het wat minder warm geworden was, zetten Manuel en Pierre de zoektocht voort. Ook Mireille, Alain en Karin gingen mee, maar bij het vallen van de avond moesten ze zich schikken in het onvermijdelijke: Etoile was en bleef onvindbaar.

Karin kon na deze vermoeiende dag nauwelijks nog overeind blijven. Bij het avondeten nam ze maar een paar happen. Het beeld van de gewonde hengst, die in het moeras ronddoolde, bleef haar bezighouden. Met een nors gezicht zette tante Justine de televisie uit en begroef zich in een krant. Mireille, die de film met Alain Delon graag had willen zien, keek chagrijnig rond. De nacht was warm, vol zoemende insecten en geritsel van de wind.

Alain was na het eten meteen naar zijn kamer gegaan. Toen hij weer tevoorschijn kwam, had hij een ander overhemd en een schone spijkerbroek aan.

'Waar ga jij naartoe?'

'Naar Pinedo,' bromde hij.

74

'Wat is dat?' wilde Karin weten.

'Een discotheek in Saintes-Maries,' legde Mireille uit en haar gezicht stond opeens veel vrolijker. 'Zullen we met zijn allen gaan? Dan kunnen we eens even aan iets anders denken.'

Karin schudde haar hoofd. 'Nee, ik heb niet zoveel zin. Gaan jullie maar,' voegde ze eraan toe toen ze Mireilles teleurstelling zag.

'Dan moet je vlug zijn,' zei Alain tegen zijn zuster. 'Ik heb een hekel aan wachten.'

Hij liep naar de deur. Tante Justine keek niet op van de krant.

'Ogenblik!' riep Mireille. 'Ik trek even iets anders aan en dan ga ik mee.'

Karin volgde Alain, die al naar buiten liep, waar hij met zijn rug tegen de muur van het huis ging staan, terwijl liet hij de motor van zijn bromfiets loeien. Het rook buiten naar kamperfoelie en uitlaatgassen. De schaduwachtige gedaanten van de paarden die onder het afdak stonden, kon je in het donker niet zien, maar wel vermoeden. Een licht, fosforescerend schijnsel aan de horizon kondigde de opkomende maan aan.

Karin stak een kauwgom in haar mond en bood er Alain ook een aan. Een poosje stonden ze zwijgend te kauwen.

Opeens zei hij met gesmoorde stem: 'Als hij kreupel wordt, laat dat me koud. Zoiets kan gebeuren. Maar ik kan het niet hebben, dat dat paard mij niet mag...'

Karin dacht dat ze het niet goed had verstaan. Waarom vertelde hij haar opeens wat hem bezighield?

75

'Thyna zei...' begon ze, maar dat was verkeerd.

'Loop naar de maan met Thyna... Die oude dwaas!' viel hij haar bruusk in de rede. 'Ik wil dat paard hebben en ik zal het krijgen. We zullen nog wel eens zien wie hier de sterkste is.'

Karin trok zich terug in haar slakkenhuis. Als hij die toon aansloeg...

Mireille kwam aanlopen. Ze had een strak topje aangetrokken en een kort jasje om haar heupen geknoopt. 'Ga je echt niet mee, Karin? Pinedo is te gek!'

'Een andere keer,' beloofde Karin.

'Ja, die Zwitsers gaan liever met de kippen op stok,' zei Alain, die kennelijk alweer spijt had van zijn spraakzame moment, spottend. Mireille ging op de bagagedrager zitten en meteen daarop zette de bromfiets zich zigzaggend in beweging. Het licht verdween even later in het donker.

Karin spuugde haar kauwgum uit en ging weer naar binnen.

Tante Justine keek over de rand van de krant naar haar. 'Je bent moe, is het niet?' Haar toon was afgemeten, maar ze klonk vriendelijk.

Karin glimlachte mat. 'Ik voel mijn lichaam bijna niet meer.'

'Je bedoelt dat je alles voelt,' knikte tante Justine. 'Het was ook een vermoeiende dag voor je. Ga maar lekker slapen. Morgen voel je je vast veel beter.'

Karin wenste haar welterusten en ging naar haar kamer. Eigenlijk had ze haar ouders moeten schrijven, maar ze kon niet eens meer een pen vasthouden. Moeizaam kleedde ze zich uit en stapte onder de douche. Ze was over haar hele lichaam gestoken – de hongerige muggen hadden het bloed door haar kleren heen gezogen. Ik ben benieuwd hoe lang het nog duurt voordat ik immuun ben voor die muggenbeten, dacht ze en smeerde zich in met een crème om de jeuk weg te nemen.

Daarna trok ze haar pyjama aan, stapte in bed en deed het lampje uit. De maan steeg hoger en het schijnsel bewoog zich over de witte muren, die de warmte van de dag nog uitstraalden. Hoe moe ze ook was, door de spierpijn kon Karin niet slapen. De douche had haar nauwelijks verfrist en nat van het zweet draaide ze van haar ene zij op de andere. Ze krabde en kreunde tot ze eindelijk in een onrustige slaap viel.

Opeens schrok ze wakker. Haar blik viel op het lege bed. Mireille was er nog niet. De wijzers van haar horloge wezen twintig over elf aan. Door het openstaande raam kwam de geur van kruiden, struiken en aarde binnen. De nachtelijke stilte werd doorbroken door zachte geluiden: twijgen die tegen elkaar tikten, het ruisen van de wind. Doodstil, met open ogen, luisterde Karin naar de geluiden van de wulp, het gekwaak van kikkers, de verre kreet van een uil. Een paard hinnikte zacht.

Ze stond op, liep naar het raam en legde haar voorhoofd tegen de hor. De milde, kruidige lucht streek langs haar wangen. Als zilveren draden glansde het riet in het bleke maanlicht. De omtrekken van de pijnbomen leken getekend met Oost-Indische inkt. Ergens ritselde iets dat Karins aandacht trok: onder het afdak aan de andere kant van de boerderij bewogen de paarden. Ze leken wel nerveus, vond Karin. Wat zou er zijn? Er danste een hongerige mug achter de hor. Met een vluchtige beweging wilde Karin hem wegjagen, maar ze stokte in de beweging en kreeg kippenvel. Er ritselde iets in het riet alsof zich daar een mens of een dier een weg baande. De paarden onder het afdak snoven, trokken aan de teugel en Caprice hinnikte.

Toen het weer stil werd, zag Karin een lichtkleurige kop uit het rietveld opduiken. Ze zag gespreide oren en een gewelfde, krachtige nek. Even meende ze dat een van de schimmels zich losgerukt had en nu rondliep. Langzaam, maar zonder aarzelen, kwam het dier naar de boerderij toe. Karin zag dat hij trok met een hoef. Haar adem stokte: Etoile...! Wat zou de hengst ertoe brengen om zich zo dicht bij het huis te wagen? Welk onverklaarbaar instinct had hem naar de mensen gebracht, waar hij zo bang voor was? Hij stond nu doodstil. Zijn ene been was zwart van het geronnen bloed en iets omgeknikt, zodat alleen de punt van de hoef de grond raakte. Een hees gesnuif deed zijn flanken opbollen. Caprice antwoordde met een zacht ge-hinnik.

Karin haalde diep adem. Je zou bijna denken dat hij hier was om hulp te zoeken. Wat zou ze nu doen? Tante Justine wekken? Dat zou de verstandigste oplossing zijn, maar ze kon er niet toe besluiten. Ze dacht koortsachtig na. Opeens was de drang die haar naar het raam had gedreven, ver-dwenen. Ze wist wat ze moest doen. Ze deed geen licht aan, want dat was niet nodig en bovendien wilde ze Etoile niet laten schrikken. Opgewonden zocht ze in haar toilettas tot ze de desinfecterende zalf gevonden had, die haar moeder haar meegegeven had. Daarna hield ze een handdoek onder de warmwaterkraan in de badkamer. Toen ze de trap afging, zakte ze bijna door haar knieën. Ze moest zich aan de leuning vasthouden om niet te vallen. Eindelijk was ze beneden. De huisdeur was gelukkig niet op slot. Heel zachtjes drukte ze de deurkruk naar beneden en stapte naar buiten.

Het paard stond met gebogen hoofd nog altijd in dezelfde houding. De blik in zijn ogen, die glansden in het maanlicht, was op Karin gericht. Stap voor stap naderde ze het dier. Haar hart bonsde zo hard dat ze vreesde dat Etoile daardoor op de vlucht zou slaan. Hij bleef echter doodstil staan. Met een nauwelijks bewust gebaar stak ze haar arm uit en legde haar hand op de hals van het dier. Etoile trilde even. Haar vingers gleden over de warme huid. Ze durfde zijn hoofd niet aan te raken, maar liet haar hand over zijn flanken gaan. Etoile bleef doodstil staan. Karin had nog steeds het gevoel dat ze droomde...

'Wees maar niet bang,' fluisterde ze. 'Ik wil je helpen.' Nadat ze dat gezegd had, veranderde er iets in haar. Het schemergebied tussen angst en vreugde maakte plaats voor geconcentreerde aandacht. Ze knielde bij het gewonde been neer. De wond was bedekt met een korstje van geronnen bloed, maar daaronder zag Karin het vlees.

Met de vochtige handdoek depte ze met voorzichtige, maar resolute gebaren het gebied rond de wond. Net boven de koot lag het bot bloot. Toen ze de wond per ongeluk raakte, stampte de hengst en zijn hoef boorde zich in het zand.

'Rustig maar,' fluisterde Karin.

Ze was doornat van het zweet, maar behandelde de wond heel zorgvuldig en voorzichtig. Daarna deed ze de desinfecterende zalf op de lap en bedekte daarmee de wond. Toen legde ze een verband aan. Ze was zo verdiept in haar werk, dat ze niet merkte dat Etoile zijn oren spitste en zijn neusvleugels opzette. Net toen ze het verband vastgeknoopt had, sprong Etoile opeens opzij. Karin verloor haar evenwicht en viel achterover op de grond. Het paard snoof, zijn lichaam trilde en hij stampte met zijn hoeven. Onverwacht draaide hij zich om en galoppeerde weg. Ook al trok hij met zijn gewonde been, hij had toch een vrij zekere gang. Met ongelooflijke snelheid verdween hij in het rietland. Als ze het riet niet had horen ruisen, had Karin zeker gedacht dat ze gedroomd had. Nu hoorde ze hoe het paard zich verwijderde tot het uiteindelijk stil was geworden rondom haar.

Karin voelde zich doodmoe en als verdoofd. Ze vroeg zich af waarom Etoile zo verrassend op de vlucht was geslagen. Daar... Motorgeluiden in de verte! De bromfiets van Alain! Het gevoelige gehoor van het paard had dat geluid lang voor haar waargenomen. Karin sprong op en ging het huis binnen. Voordat ze de deur achter zich dichtdeed, zag ze het licht van de koplamp over de weg dansen. Zonder iets te merken van haar pijnlijke spieren, holde ze de trap op en ging haar kamer binnen. In bed, de deken over haar oren trekken – het was een kwestie van seconden. Het motorgeluid was al verstomd. De huisdeur werd van binnenuit op slot gedaan, gedempte voetstappen kwamen de trap op. Mireille ging de badkamer binnen. Karin hoorde de douche, het schrobbende geluid van de tandenborstel. Even later kwam Mireille op haar tenen de slaapkamer binnen. De matras kraakte toen ze in bed stapte. Daarna waren dezelfde geluiden vanuit de badkamer te horen, deze keer veroorzaakt door Alain. Karin lag met haar gezicht naar de muur en deed alsof ze sliep. Inwendig was ze echter helemaal ondersteboven. Haar wangen gloeiden, haar hart bonsde in haar keel. Ze dacht dat ze zou stikken. Haar eerste impuls, om Mireille in vertrouwen te nemen, verwierp ze. Ze wilde haar geheim voor zichzelf houden. Karin beet op haar lippen en begroef zich onder de deken. In het andere bed schraapte Mireille haar keel en draaide zich een paar keer om. Toen werd haar ademhaling diep en regelmatig: ze sliep.

Nu pas hoorde Karin hoe haar hart tekeerging. Langzaam werd haar ademhaling rustiger. Ze had eindelijk tijd om na te denken over wat ze had meegemaakt. Ze bedacht de ene verklaring na de andere, maar Etoiles ongewone gedrag bleef haar een raadsel. Tot ze zich de opmerking van de oude zigeunerin herinnerde: 'Ik zie het teken', had ze gezegd. Zou dat in verband staan met de gebeurtenis van deze nacht? Nee, het was onzinnig om zoveel betekenis aan de woorden van de zigeunerin te hechten. Langzaam ontspande Karin zich. De maan was ondergegaan en het gekwaak van de kikkers verstomde. In de eetkamer sloeg de klok tweemaal. Karins ogen vielen eindelijk dicht. Overmand door vermoeidheid zakte ze in een diepe slaap.

7

Toen Karin haar ogen opendeed, zweefde ze even tussen droom en werkelijkheid. Terwijl ze bijna mechanisch contact met de werkelijkheid opnam, was ze nog altijd in de ban van de nachtelijke gebeurtenis.

Mireille leek meteen heel fris en uitgerust. De korte slaap was voor haar voldoende geweest om elk spoor van vermoeidheid uit te wissen. Karin kwam haar tegen in de badkamer, waar ze haar neus afspeurde op zoek naar zomersproeten. 'Ben je ook al op?' vroeg Mireille. 'Heb je ons vannacht niet meer gehoord? We kwamen een paar vrienden tegen en daardoor werd het nogal laat.'

'Ik heb niets gehoord,' jokte Karin, terwijl ze haar tandenborstel pakte.

Mireille keek haar onderzoekend aan. 'Je doet zo vreemd. Wat is er met je?'

'Niets.' Karin trok haar T-shirt over haar gloeiende gezicht. 'Ik... ik heb nogal slecht geslapen. Dat is alles.'

Mireille knikte. 'Je had met ons mee moeten gaan naar Pinedo. Na twee uur dansen zou je hebben geslapen als een roos.'

Tante Justine – in spijkerbroek en op rubberlaarzen – schonk koffie in. Alain, die er niet zo uitgeslapen uitzag als zijn zuster, zat voortdurend te gapen. Tante Justine had haast. Ze wilde erbij zijn als de twee stieren, Caraque en Bliksem, naar Aigues-Mortes werden gebracht, waar ze morgenmiddag deel zouden nemen aan het stierenvechten.

'Ik geef jullie drie minuten om de paarden te zadelen.'

Karin nipte met een afwezige blik aan haar koffie. De elleboogstoot van Mireille maakte dat ze zich verslikte.

'Hé, zit je nog te slapen? Ga je mee naar de stieren of niet?'

Tante Justine monsterde Karin van onder haar borstelige wenkbrauwen. 'Je ziet een beetje bleek. Als je je niet lekker voelt, kun je beter wat rustig aan doen.'

Waarom denken ze allemaal dat ik een watje ben? dacht Karin nijdig. Ze had haar brood in drie happen op en in minder dan geen tijd was haar koffie verdwenen. Natuurlijk ging ze mee naar de wei! Ze vermeed het om Alain aan te kijken, bang als ze was dat hij haar geheim van haar gezicht zou kunnen lezen. Als hij wist dat ik Etoile heb geaaid en zijn wond heb verbonden... Karin kon het zelf nauwelijks geloven.

Toen ze bij de weide kwamen, hadden de *gardians* de twee stieren al van de kudde afgezonderd. Caraque en Bliksem, jonge stieren met een overdadig rimpelig vel, wachtten in een afzonderlijke omheining die voor de witte muur van een hut was aangebracht. Vlak daarop kwamen twee vrachtwagens rammelend aanrijden. Ze stopten voor een met planken afgezette loopplank die vanaf een van de omheiningen naar de weg voerde.

83

Het lawaai en de onrust wekten het wantrouwen van de stieren. Snuffelend en snuivend staarden ze naar de vrachtauto's. Het kostte de *gardians* moeite om ze de gang in te drijven. Jackie, een van de jongste *gardians*, zat schrijlings op de planken van het plankier en bewoog een stok met daaraan een rode doek. Het duurde een poosje voordat Bliksem aan kwam stormen en het laadplatform op stampte. Met een klap viel de achterklep dicht en was de stier opgesloten.

Tante Justine lachte. 'Hij heeft goed meegewerkt. En nu Caraque!'

Caraque was niet van zins zomaar mee te werken. Met opgeheven horens stapte de sterke, zwarte stier in zijn omheining rond. Zijn glimmende huid trilde even. Snuivend kwam hij zo dicht bij de rand staan, dat Karin zijn warme adem op haar gezicht kon voelen. Opeens zag het dier de rode doek, die Jackie heen en weer bewoog. Blindelings ging hij eropaf en stormde de loopplank op. De planken dreunden toen Caraque over de loopplank de vrachtwagen binnenging. De klep van de tweede vrachtwagen viel ook dicht. De stier zat in de val! Je kon horen hoe het dier daarbinnen tekeerging en met zijn horens tegen de wanden van de vrachtwagen stootte.

De *gardians* wisten het zweet van hun voorhoofd, terwijl de bestuurders een sigaretje rookten voordat ze weer achter het stuur zouden kruipen. Bliksem gedroeg zich rustig, maar de wagen waarin Caraque ondergebracht was, trilde van de gedempte stoten.

'Als hij de wagen maar niet kapotmaakt,' zei Mireille.

Alain stopte grinnikend een kauwgum in zijn mond. 'Stel je voor dat hij op de toeristen afging! Olé, dat zou me een corrida zijn!'

De *gardians*, die helemaal in beslag waren genomen door de stieren, waren Etoile bijna vergeten. Toen Karin voorzichtig bij Manuel informeerde of ze vandaag nog verder zouden gaan zoeken, haalde die zijn schouders op. 'Maak je maar geen zorgen, kleine meid,' antwoordde hij. 'Die redt het wel. Het been is vast niet gebroken, want dan zouden we hem al lang gevonden hebben.'

'Het is een taaie knaap,' voegde Pierre eraan toe. 'En het is niet de eerste keer dat hij gewond geraakt is.'

De rest van de dag werd Karin heen en weer geslingerd tussen tegenstrijdige gevoelens, waarbij onzekerheid en onrust om de voorrang streden. Alain was naar Saintes-Maries-de-la-Mer gegaan om een vriend op te zoeken. Omdat het heel warm was, stelde Mireille voor om naar het strand te gaan. Ze leenden de fiets van Regine en gingen op pad. Onderweg wisselden ze elkaar af: terwijl de een de pedalen in het rond trapte, zat de ander op de bagagedrager. Aan de voet van de duinen lieten ze de fiets staan en stapten met hun schoenen in de hand door het zand. Het strand was eenzaam en verlaten. Nadat ze hadden gezwommen, maakten ze het zich gemakkelijk in het warme schelpenzand. De wind streelde hun vochtige huid. Het ruisen van de golven en de kreet van een meeuw waren de enige geluiden. Karin kon zich niet voorstellen dat maar een paar kilometer hier vandaan de toeristische drukte heerste.

'Komen hier eigenlijk nooit mensen zwemmen?' vroeg ze verwonderd.

'Zelden,' antwoordde Mireille. 'De toegang tot dit strand is verboden, omdat het hier te gevaarlijk is om te zwemmen.'

'We zijn hier toch ook langs gekomen toen we achter Etoile aan zaten.' Karin vond het vreemd om de naam van de hengst uit te spreken.

'Je moet het gebied goed kennen,' legde Mireille uit. 'Dan is het niet zo gevaarlijk. Twee jaar geleden is er een oude man in het moeras terechtgekomen en verdronken. Pas toen de plas uitgedroogd was, is zijn lijk gevonden. Het was zwart en leerachtig, het leek wel een mummie.' Slaperig smeerde ze zich in met zonnebrandolie. 'Ik vind het hier heerlijk. Het water is veel schoner dan in Saintes-Maries. Alleen niet als het hier stormt, want dan spoelt er van alles aan: conservenblikjes, planken met olieresten en nog veel meer.'

Karin dacht nog altijd aan Etoile. Haar geheim bedierf haar stemming. Toch kon ze maar niet besluiten om er iets over te zeggen tegen Mireille.

Ook die avond kon Karin de slaap niet vatten. De maan was net zo helder als de nacht ervoor. Er was een lichte wind opgestoken en de schaduwen van de pijnbomen bewogen zich op de muur tegenover Karins bed. Het riet ruiste. Karin luisterde ingespannen. Tegen middernacht stond ze op en liep naar het raam, waar ze lang en tevergeefs stond te wachten. De wind rook naar hars, warme mirte en zout. Rond de boerderij was alles stil. De paarden stonden te dommelen onder het afdak. Karin stapte weer in bed. Opgelucht en teleurgesteld tegelijk viel ze even later in slaap.

De volgende morgen meteen na het ontbijt gingen ze met de landrover van tante Justine op weg naar Aigues-Mortes. Tante Justine, gestoken in de dracht van de *gardians*, haar hoed diep over haar ogen getrokken, stuurde de zware auto over de hobbelige weg. Er gingen windvlagen door het riet. Langs de kant van de weg stonden lange rijen auto's: toeristen maakten met foto- en videoapparatuur jacht op paarden, stieren en flamingo's. Tante Justine vloekte zachtjes in zichzelf, toen ze zich luid claxonnerend een weg door de menigte baande. Karin kon zich wel voorstellen dat de vakantiegangers zo opgewonden waren! Toch was vandaag alles anders voor haar. Ze kende het al. Het kwam haar allemaal zo bekend voor! In gedachten zag ze Etoile voor zich. Zouden zijn wonden al genezen zijn? En waar was hij op dit moment? Eén ding had ze wel geleerd: de uitgestrekte, schijnbaar vlakke vlakten van de Camargue zaten in feite vol schuilplaatsen. Iedereen, mens of dier, kon zich in het riet, in het struikgewas of op de drijvende eilanden verbergen. Karin zou de andere twee dolgraag hebben verteld over haar belevenis met de hengst, maar ze deed het niet. Was ze soms bang voor Alain? Ze wist het zelf niet. Inwendig noemde ze hem een zwakkeling, maar dat veranderde niets aan de zaak.

Mireilles stem haalde haar terug naar de werkelijkheid. 'Kijk, daar verderop, dat is Aigues-Mortes!'

In een eentonig landschap van lagunen en zoutmijnen verschenen, in het tegenlicht van de zon, de indrukwekkende grijze muren. Hoe dichter de landrover erbij kwam, des te sterker werd de indruk dat de lange muren en enorme hoektorens boven de grond zweefden.

'Je krijgt bijna het gevoel dat je in de Middeleeuwen zit!' riep Karin uit.

'Vroeger was Aigues-Mortes een bloeiende havenstad,' legde Mireille uit. 'Het was door kanalen met de zee verbonden. Vanaf hier vertrok koning Lodewijk de Heilige in 1248 met zijn 39 schepen voor een kruistocht.'

Alain gaapte. 'Mijn zuster heeft altijd al een zwak voor geschiedenis gehad. Ikzelf daarentegen val daarbij in slaap.'

Een beschaduwde laan met platanen leidde langs de vestingmuren. Karin rekte haar hals om de brede omgang met kantelen te kunnen zien. Door een poort kwamen ze in de stad. In de straten, omzoomd door petieterige, fleurige huisjes, was het een drukte van belang. De mensen dromden in de richting van het afgesloten plein aan de voet van het bolwerk, waar de strijd om de *cocarde* gestreden zou worden. Auto's toeterden, motorfietsers baanden zich gonzend een weg. Stof trilde in de zon. De lucht hing vol uitlaatgassen en de geur van warm vet. Rondom de versperring waren de treevormig opgebouwde zitplaatsen al bezet door toeschouwers. Uit luidsprekers klonk muziek. Tante Justine stapte net uit de auto toen Constantin, Regine en Nicolas, die met de bestelauto gekomen waren, op haar af kwamen. Constantin was in de traditionele feestelijke klederdracht: nauwsluitende grijze broek, bont overhemd, halsdoek en een hoed met een brede rand. Regine was in de klederdracht van de vrouwen van Arles: lange, wijde rok, kanten lijfje en een omslagdoek die over haar borst gekruist was. Om haar hals droeg ze een zwart fluwelen bandje, waaraan een gouden kruis hing. Karin bewonderde het zelfbewustzijn waarmee ze haar kleding droeg. Andere *gardians* voegden zich bij hen. Terwijl Nicolas het puntje van een sigaar sneed, drukte tante Justine hen een voor een de hand. Al snel was ze omringd door sterke, vrolijk uitziende mannen – fokkers, naar hun kleding te oordelen – en werd er veel gelachen en veel op schouders geklopt.

Mireille tikte Karin, die in de drukte wat verloren leek, op de arm. 'Kom, dan gaan we de arena bekijken. Je bent toch niet bang?'

'Natuurlijk is ze bang!' riep Alain meteen.

'Dat zal ik je laten zien!' snauwde Karin hem geïrriteerd toe. Nadat ze tussen de loslopende stieren door het weiland overgestoken was, zou ze niet weten waar zij nog bang voor zou kunnen zijn. Ze drongen zich door de versperring langs de onderste rijen met toeschouwers. Het wemelde van de jonge mensen, op zoek naar een plek. Mireille en Alain maakten gebruik van hun ellebogen om op hun plaatsen te komen.

'Eerst wordt er alleen maar een koe in de arena gelaten,' legde Mireille uit terwijl ze een stukje opzij ging om Karin ruimte te geven. 'Dat is heel grappig, dat zul je wel zien! O, het begint al...'

89

De poorten aan de overkant gingen open. Een koe met balletjes op zijn spitse horens ging er als een pijl uit een boog vandoor. Gracieus, snel en nerveus rende zij door de arena. Jonge mannen liepen haar zwaaiend met hun armen en stampend tegemoet. Zodra de koe op hen af kwam, stoven ze uit elkaar en slaakten kreten van schrik. Mireille en Alain brulden met de anderen mee. Ze sprongen in de arena, vlak voor de neus van de koe, en verschansten zich op het laatste moment achter de barrière om zich in veiligheid te brengen. De sterke koe stak onophoudelijk zijn horens naar voren. Al snel bereikte het tumult een hoogtepunt. Hoewel Karin graag meegedaan had, waagde ze zich niet in de arena. Ze was bang dat ze zou vallen en onder de poten van de koe terecht zou komen of mogelijk tegen de rand zou slaan. Uiteindelijk werd de koe afgevoerd. De eerste stier betrad de arena en de eigenlijke wedstrijd begon. Vanaf de onderste rij banken, ingeklemd tussen Alain en Mireille, die nog helemaal buiten adem waren, bewonderde Karin het optreden van de geheel in het wit geklede *razeteurs*. Met hun lichte, bevallige bewegingen leken ze de draak te steken met de aanvallen van de boze stier. Er vloeide geen bloed, want de mannen waren voorzien van een kleine, viertandige haak waarmee ze de *cocarde* die de stier tussen zijn horens had, moesten zien te pakken. Nadat Bliksem achter de poort verdwenen was, kwam Caraque langzaam, majestueus bijna, binnen. Een bewonderend gemompel ging door de toeschouwers, toen de enorme stier om zich heen keek, geïrriteerd door het lawaai dat hem tegemoet golfde. Hij stortte zich instinctief op de lenige, witte gedaanten. Met uitgespreide armen als vogels in de vlucht, liepen de *razeteurs* voor hem uit, draaiden zich plotseling naar hem om en probeerden de *cocarde* af te pakken, waarna ze bliksemsnel achter de barrière doken om bescherming te zoeken. Meer dan eens slaakten de toeschouwers een kreet als een *razeteur* met een enorme sprong de moorddadige aanval van de horens wist te ontlopen. Caraque viel voortdurend aan, maar langzaam werden zijn krachten minder. Hijgend van vermoeidheid stond hij in de arena zonder dat hij leek te begrijpen dat zijn ongrijpbare tegenstanders slimmer waren.

'Nu is hij moe,' zei Mireille.

'Het duurt wel een paar dagen voordat hij weer zin heeft om aan te vallen.'

Maar Caraque toonde karakter. Hoewel hij overwonnen was, weigerde hij de os naar de poort te volgen. Constantin en Nicolas moesten de arena in om hem onder jubelkreten van de massa een zetje met een drietand te geven, waarna hij zich eindelijk verwaardigde om zich met geheven kop terug te trekken. Een donderend applaus begeleidde zijn vertrek.

Alain keek trots om zich heen. 'De stieren van tante Justine behoren tot de beroemdste stieren! Dit jaar gaat Caraque ook naar Sète en Nîmes.'

Aan het verdere verloop van de dag bewaarde Karin slechts vage herinneringen. Nadat Caraque en Bliksem weer ingeladen waren zodat ze terug konden naar de wei, ontmoetten fokkers en *gardians* elkaar in een restaurant in Aigues-Mortes. De tafels stonden onder de platanen, waarin lampen hingen. Iedereen praatte en lachte door elkaar heen. Karin ving slechts flarden op van de in Provençaals dialect gevoerde gesprekken – ze gingen veel te snel voor haar. Er was vissoep, een Provençaals visgerecht met mayonaise van olijfolie, worst uit Arles die zwom in de olie, en saffraanrijst. Karin propte zich vol en vroeg zich daarbij af hoe je dat eigenlijk allemaal kon verorberen. Ze had wijn gedronken en alles om haar draaide. Op haar stoel gezeten keek ze knipperend naar de lucht, die roze kleurde en vervolgens donkerder werd, terwijl de lampions opeens aangingen. Haar gedachten zweefden weg en soms dook Etoile erin op. De nijpende vraag 'Hoe gaat het toch met hem?' vervaagde steeds meer. Onder invloed van de wijn nam haar belevenis vreemde droomkleuren aan. Omringd door gemurmel van stemmen, de echo van gelach en de scherpe geur van vet, wist ze al snel niet meer of de nachtelijke ontmoeting nu werkelijkheid was geweest of een verzinsel van haar geest.

8

De volgende morgen verscheen Karin aan het ontbijt met gezwollen oogleden, een dikke tong en een flinke pukkel op haar neus. Ze was niet gewend om zo laat naar bed te gaan en ze was nog veel minder gewend om zo veel wijn te drinken. Dat Alain en Mireille, in tegenstelling tot haar, heel vrolijk keken, maakte haar nog chagrijniger. Ze moesten wel een maag van schokbeton hebben.

Broer en zus zaten alleen aan tafel, want tante Justine was al in alle vroegte naar de weide gegaan. Karin probeerde te glimlachen. Ze dronk haar koffie zonder melk en suiker. Mireille reikte haar over Alains hoofd heen het broodmandje aan.

'Kennelijk bekomt het jou niet zo goed om laat naar bed te gaan,' stelde ze lachend vast.

'Ze heeft een kater,' bromde Alain. Hij had zijn broodje in twee happen op en rekte zich uit zodat zijn ledematen knakten. 'Ik ben juist in topvorm! Als bewijs daarvoor ga ik Caprice zadelen en op zoek naar Etoile.'

Mireille zette haar kopje met een zwaai op tafel. 'Je bent toch niet van plan nog langer door te gaan met dat domme gejaag op Etoile? Als tante Justine dat hoort, kun je je maar beter bergen!'

'Vergeet niet dat ze me Etoile beloofd heeft,' zei Alain.

'Daar zal ze al lang spijt van hebben nadat je als een dronken gaucho rondgereden bent!' Mireille hief dreigend haar vinger naar hem op. 'Ik houd je in de gaten, makker! Als je je niet weet te gedragen, zeg ik het tegen tante Justine.'

'Stomme koe!'

'Halfgare stijfkop!'

Terwijl ze kibbelden, blies Karin peinzend in haar koffie. Opeens hief ze haar hoofd. 'Goed, ik ga ook mee!'

De tweeling zweeg, verbaasd over de vastberadenheid die op Karins gezicht te lezen stond.

'Meisjes zijn nog erger dan klitten,' zei Alain toen en duwde met een ruk zijn stoel achteruit. 'Maak je vooral geen illusies! Met Caprice ben ik jullie zo kwijt.'

'Hola,' riep Mireille, 'hoe moet dat met je kopje en je bord? Denk je soms dat Regine er is om jou te bedienen?'

Woedend pakte Alain zijn kopje en zijn bord en liep naar de keuken. Even later viel de huisdeur met een klap achter hem dicht.

'Wat is het toch een lieve jongen,' zei Mireille zuchtend.

'Kun je hem niet tegenhouden?' hijgde Karin.

Mireille schudde haar hoofd. 'Maak je maar geen zorgen! Zelfs op drie benen laat Etoile zich niet vangen.' Ze keek haar vriendin ongerust aan. 'Je ziet helemaal groen. Als je zoveel last hebt van gisteravond, kun je vandaag beter niet eten.'

Karin werd misselijk bij de gedachte dat Alain de gewonde hengst weer op zou jagen. Mireille zag de onrust op haar gezicht.

Ze zadelden de paarden. Alain keek chagrijnig, maar de meisjes deden alsof ze het niet merkten. Het beloofde een prachtige dag te worden. Een milde noordenwind deed het water op de meren rimpelen. De rietvelden glansden. Alain reed, zonder van de grond op te kijken, en onderzocht het landschap zover hij kon zien. Opeens stopte hij en liet zich uit het zadel glijden om een paar sporen nader te bekijken. Toen hij weer op zijn paard zat, zag hij Karins angstige blik.

'Weet je,' zei hij, 'meestal vormen paarden een groep. Toeristen daarentegen rijden altijd achter elkaar aan, met de gids voorop. Als het spoor van een paard zich over een lange afstand uitstrekt, is het een solitair dier of de leider van een kudde. Als de sporen heel duidelijk te zien zijn, kan het zijn dat ze van Etoile afkomstig zijn. Voor een Camargue-paard is Etoile namelijk heel zwaar.'

Hij zweeg. Kennelijk verwachtte hij een antwoord, maar toen dat uitbleef, voegde hij er trots aan toe: 'Tante Justine zegt dat ik een goede *gardian* kan worden, omdat ik zoveel opmerkingsgave heb.'

Mireilles gesmoorde lach klonk achter hem. 'Maar ze heeft erbij gezegd dat het belangrijkste nog ontbreekt: je moet geduld hebben!'

Alain haalde zijn schouders op. 'Met of zonder geduld, ik zal Etoile murw maken.'

'Als hij maar niet degene is, die jou murw maakt,' zei Mireille. Met zijn handen in zijn zakken floot Alain vergenoegd een wijsje, maar op zijn gezicht lag de eigenzinnige uitdrukking die Karin ondertussen kende. Hij was vastbesloten de eerste de beste gelegenheid te baat te nemen om haar kwijt te raken en zij was net zo vastbesloten hem niet te laten ontsnappen.

Het bleef een poosje stil. De uitgeruste paarden namen flinke stappen. Opeens wees Alain met een kreet van blijdschap naar de grond. 'Dat voetspoor! Ik durf te wedden dat het van Etoile is! Ongelooflijk, hoe dicht hij bij de 'Mas' is durven komen!'

De duidelijk zichtbare afdrukken in de zachte grond leidden naar het moeras. Zonder aarzelen stuurde Alain Caprice het kreupelhout in. Karin beet haar tanden op elkaar en volgde hem. Achter elkaar gingen de drie ruiters over het smalle pad, dat het paard had gemaakt. Een geur van verrotting benam hen bijna de adem. Muggen en dikke, blauwe vliegen zwermden om hen heen. De drassige grond maakte zompige geluiden onder de hoeven van de paarden.

De wind was gaan liggen en de zon brandde. Op een zeker moment werd het riet minder dik en vormde het een soort baai. Er werd een meer zichtbaar en in het ondiepe water, dat vol stond met zachtlila lamsoorstruiken, stond de grote hengst in de zon. Hij leek wel een standbeeld. Zijn huid was zo vies van de modder dat hij uit leem ge-vormd leek. Zijn gitzwarte ogen schitterden onder de lange manen. Karin hield haar adem in alsof ze hem voor het eerst zag. Etoile probeerde niet te vluchten. Het leek wel of hij wist dat ze op hem af kwamen, alsof hij hen had verwacht.

De betovering brak door het opgewonden, hese gefluister van Alain. 'Deze keer zal ik hem krijgen! Hij zal heus niet zo snel weg kunnen komen met die wond...' Met trillende handen maakte hij de mecate los die aan zijn zadelknop hing.

'Voorzichtig voor het moeras!' zei Mireille.

Bij het horen van haar stem hief het paard zijn hoofd en spitste de oren. Zijn neusvleugels trilden. Hij deed een stap naar voren, zodat hij helemaal uit het riet omhoogstak. Alains blik bleef hangen aan de vieze lap, die om het gewonde been was gewikkeld. Hij slaakte een kreet. 'Dat kan niet! Iemand heeft hem verbonden!' Het bloed trok weg uit zijn gezicht. Het leek of hij een klap op zijn hoofd had gekregen.

'Ongelooflijk!' riep Mireille net zo onthutst uit. 'Iemand is dus bij hem in de buurt kunnen komen...'

Karin voelde het zweet over haar rug lopen. Dit was het moment waarop ze alles moest bekennen. Hoe zou ze anders moeten verklaren dat ze niets zei? In haar verwarring kon ze echter niet helder denken. Ze zat in elkaar gedoken in het zadel, zwijgend en schuldbewust, haar blik starend in het niets, bang dat de geringste beweging haar zou verraden.

'Dat moet een van de *gardians* geweest zijn! Die vent heeft Etoile gevonden en in het nauw gedreven. Nu ziet Etoile natuurlijk *hem* als meerdere en kan alleen hij hem bestijgen en...' Zijn stem verstomde.

Karin maakte zijn zin af: 'En dan is Etoile van hem.'

Een kreet van woede ontsnapte Alains keel. 'Nee, nee en nog eens nee! Het is mijn paard! Van mij en van niemand

97

anders!' Bruusk boog hij zich over de hals van Caprice en drukte zijn hakken in de flanken van het paard. Caprice schoot naar voren. Op datzelfde moment holde Etoile langs de oever weg. Zijn galop was moeizaam, langzamer dan anders. Kennelijk had hij nog altijd last van de wond. Ook Alain zag het en hij dreef zijn paard nog verder op om Etoile de weg af te snijden.

'Pas op! Het moeras!' riep Mireille hem achterna, maar het opspattende water overstemde haar geluid. Karin zag dat het zompige meer overging in een ander, groter water, waarin enkele palen stonden om gevaarlijke plaatsen te markeren. Ze huiverde. Het moeras!

Caprice ging over op een gestrekte galop. In een paar sprongen was hij op gelijke hoogte met Etoile. Terwijl de beide paarden nagenoeg naast elkaar galoppeerden, zwaaide Alain met de mecate als een lasso. Hij wierp heel handig, veel handiger dan Karin van hem had verwacht. Het touw ging doelgericht door de lucht en viel bij de eerste poging meteen al als een strop rond Etoiles hals. De hengst bleef zo abrupt staan dat zijn hoeven zich diep in het drasland boorden. Het duurde maar heel kort. Toen trapte hij zo heftig dat Alain, die het touw krampachtig vasthield, de stijgbeugels losliet en uit het zadel werd geslingerd. Met een luide plof kwam hij in het water terecht. Op die plek was het meer niet diep. Hoestend en proestend kwam Alain dan ook al snel weer boven. Hij hield nog altijd het touw vast. Etoile vluchtte weg voor het opspattende water, waarbij hij Alain achter zich aan trok. Die klampte zich vast aan het touw, dat steeds strakker om de hals van het paard kwam te zitten. Tevergeefs probeerde Etoile zich trappend en springend van het touw te bevrijden. Instinctief galoppeerde hij naar het midden van het meer om in dieper water te komen. Alains hoofd verdween onder water. Versuft en met zijn neus en mond vol zout water, hapte hij naar adem, maar hield ondertussen verbeten het touw vast.

'Stommeling! Straks verdrinkt hij nog!' riep Mireille.

Heen en weer geslingerd draaide Alain een paar maal om zijn as. Tevergeefs probeerde hij zijn hoofd boven water te houden. Hij hapte naar adem en kreeg water binnen. Gloeiend ijzer leek zijn longen binnen te dringen. Hij werd bijna verdoofd door de pijn. Het leek wel of de hele poel draaide en boven op hem viel. Het touw glipte uit zijn handen. Op het moment dat Etoile voelde dat hij vrij was, galoppeerde hij nog sneller weg. In een paar sprongen stond hij op de kant. Met het vieze touw achter zich aan galoppeerde hij weg. Terwijl het geluid van zijn doffe hoefslag wegstierf, voelde Karin een intens gevoel van triomf.

Alain, die nu weer vaste grond onder de voeten had, hijgde en kronkelde. Hij wankelde op goed geluk voorwaarts en woelde de modder om. Toen er weer lucht in zijn longen kwam, voelde hij zich beter. Nijdig balde hij zijn vuist in de richting waarin Etoile verdwenen was. Alleen zijn trots verhinderde dat hij van teleurstelling in tranen uitbarstte.

Mireille was van haar paard gesprongen om Caprice terug te halen, die een eind verderop liep. Karin liet zich ook uit het zadel glijden. Haar benen trilden zo dat ze bijna omviel.

'Houd de paarden vast!' riep Mireille en wierp haar de teugels toe. Ze hield haar handen als een trechter voor haar mond en brulde naar haar broer: 'De palen! Links van je!'

Hoestend en proestend beduidde Alain dat hij haar had begrepen. Het water stond tot aan zijn heupen toen hij op de oever af ging. Opeens voelde hij dat zijn ene been naar beneden zakte. Een sterke kracht zoog hem verder het moeras in. Alain hield zijn adem in. Nu rustig blijven! Hij kende de streek goed genoeg om zich bewust te zijn van het gevaar. De palen die attent maakten op het moeras, waren twee jaar geleden geplaatst nadat het lijk van een oude man was gevonden. Ondertussen moest de stroming de bodem van het moeras verlegd hebben.

Alain zag hoe Mireille met haar armen zwaaide. Ze stond tot haar knieën in het water en gebaarde hem dat zij vaste grond onder de voeten had.

Langzaam en heel voorzichtig probeerde Alain zijn been omhoog te trekken. Zijn laars bleef echter in het moeras steken en ondanks al zijn kracht lukte het hem niet deze eruit te trekken. Zijn voet was nu echter wel vrij. Behoedzaam om zijn evenwicht niet te verliezen, vermeed hij daar te gaan staan waar zijn laars naar beneden gezonken was, en toch van de gevaarlijke plek weg te komen. Het ongeluk achtervolgde hem echter: borrelend bezweek de grond onder het gewicht van zijn lichaam. Er stegen bellen naar de oppervlakte. Met beide benen zakte Alain tot aan zijn bovenbenen weg in de zuigende ondergrond. Zijn hart bonsde en het koude zweet brak hem aan alle kanten uit.

'Ik zak weg!' riep hij verschrikt.

'Mijn mecate! Vlug!' gebaarde Mireille, terwijl ze zich naar Karin omdraaide.

Karin, zich bewust van het gevaar, raakte in paniek. Haar onhandige, trillende vingers hadden moeite om de mecate, die aan de zadelknop van Follet zat, los te maken. Even later stond ze in het water naast Mireille, die haar het touw uit handen rukte.

'Vlug! Toe dan!' schreeuwde Alain.

Hij was al tot zijn heupen weggezonken en probeerde niet te bewegen om te voorkomen dat hij nog sneller naar beneden getrokken zou worden. Voorzichtig tastend zocht Mireille naar vastere grond onder haar voeten. Nadat ze het touw uitgerold had, gooide ze het door de lucht, waarbij ze de lus op haar broer richtte. Alain hief zijn armen om het touw te vangen, maar het viel vlak voor zijn handen met een plons in het water. Alain voelde hoe het moeras aan hem trok en slaakte en kreet. Met samengeknepen lippen haalde Mireille het natte, zware touw terug. Toen gooide ze weer, waarbij ze haar best deed haar bewegingen beter te berekenen. Deze keer kwam het touw precies binnen handbereik van Alain terecht op het oppervlak van het water. De jongen pakte het en hield het krampachtig vast. Mireille wankelde en was bijna voorover in het water gevallen, maar Karin hield haar tegen.

'Trekken! Help me... trekken!' hijgde Mireille.

Zich schrap zettend trokken de beide meisjes met vereende krachten – Alain leek een ton te wegen! Centimeter voor centimeter trokken ze zijn lichaam uit het stinkende moeras. Hij schoot zo plotseling los uit de modder, dat de twee meisjes bijna achterover gevallen waren. Met lamme armen en door en door nat trokken ze hijgend het touw terug, terwijl Alain, tot zijn middel bedekt met modder, overeind kwam en naar de oever wankelde.

Even later zonken ze alledrie uitgeput neer op de zanderige helling. Alain haalde hortend en stotend adem. Hij stonk zo naar het moeras dat Karins maag in opstand kwam. Een poosje zei niemand iets. Alleen hun hijgende ademhaling was te horen, en de wind die door het riet streek. Het water glinsterde in de zon.

Na verloop van tijd streek Mireille het haar van haar met zweet bedekte gezicht en zei op verachtelijke toon: 'Ongelooflijke stommeling!'

Alain haalde zijn mouw langs zijn lopende neus. 'Ik kon toch niet weten...'

'Ik zei nog "kijk uit voor het moeras"!' Hoe meer Mireille op adem kwam en de paniek verdween, des te nijdiger werd ze. 'Je snapte toch dat het gevaarlijk was. Maar jij... jij dacht alleen maar aan die knol! Halfgare idioot! Ik weet niet of je wel beseft dat wij je leven hebben gered!'

'Weet je...' stotterde hij.

'Hou je mond. Bespaar me je verhaal!'

Beledigd en boos tegelijk boog Alain zijn hoofd. Zijn met modder besmeurde gezicht leek opeens een lelijk masker vol kreukels.

'Die palen staan op de verkeerde plaats,' verdedigde Alain zich. 'Dat kunnen we wel tegen tante Justine zeggen.'

102

'Tante Justine zal je kielhalen als ze hoort wat je nu weer hebt uitgehaald!'

'Echt niet,' sprak Alain haar tegen. 'Ze zal blij zijn dat ik nog leef!'

'Ik zou daar maar niet zo zeker van zijn als ik jou was!'

Ze keken elkaar nijdig aan. Een onbeheerste lachstuip... Opeens was de spanning verdwenen. Doornat, vies en overdekt met zand, gaven ze elkaar over en weer een stomp. Karin lachte zo hard dat ze de tranen in de ogen had. Ze kon geen woord uitbrengen en trilde nog altijd van opwinding en zwakte.

Even later zag ze, niet ver van de plek waar ze zaten, de hoefsporen van Etoile in het vochtige zand. Ze vroeg zich af hoe ze het dier kon vinden om hem van het touw van Alain te ontdoen.

9

Vies, verfomfaaid en omzwermd door vliegen kwamen ze terug. Toen Regine hen uit het zadel zag glijden, sperde ze haar ogen wijd open en slaakte een kreet van schrik.

'Mijn hemel, waar komen jullie vandaan?'

'Uit het moeras,' antwoordde Mireille.

Alain zweeg. Hij vond het pijnlijk om over zijn weinig heldhaftig avontuur te praten. Moeizaam liep hij in de richting van het huis, maar Regine versperde hem de weg.

'Geen sprake van! Je stinkt als een gierput! Je kleedt je eerst maar uit en gaat je bij de pomp wassen voordat je een stap binnen zet!'

'Ik gooi wel een broek naar beneden,' grinnikte Mireille.

De twee meisjes gingen onder de douche en wasten hun haren. Hun kleren gingen bij de vuile was. Ze hadden de badkamer net schoongemaakt toen hoefslagen op de binnenplaats de terugkeer van tante Justine aankondigden. Toen ze het huis binnenstapte, liep daar net Alain, die, gekleed in een schone spijkerbroek en T-shirt, met een verlegen gezicht voor haar aan de kant ging. Zijn haren waren nog nat en in zijn hand had hij een handdoek.

Tante Justine fronste haar wenkbrauwen. 'Wat is er nu

weer met jullie gebeurd? De paarden zijn te vies om aan te raken en ze stinken een uur in de wind.'

Regine kwam met een schaal olijven aanlopen. Ze barstte los in een woordenvloed waaruit verontwaardiging sprak. 'U had moeten zien hoe ze eruitzagen toen ze thuiskwamen! Die spullen kun je alleen nog maar met rubberhandschoenen aanpakken!'

'Ik... ik ben in het moeras gezakt,' bekende Alain kleintjes.

'Je had de palen zeker niet gezien?' vroeg tante Justine droog.

Alain werd onzeker. 'Dat wel... maar het moeras is verschoven en de palen moeten verzet worden...'

Mireille en Karin kwamen net op tijd naar beneden om dit smoesje te kunnen horen.

'Er hoeft helemaal niets verzet te worden,' zei tante Justine juist. 'Iedereen weet dat het moeras zich verplaatst met de stroming. Die palen staan er alleen maar om op het gevaar te wijzen. Dat weet jij ook!'

Alain zweeg. Tante Justine duwde met een ongeduldig gebaar haar hoed naar achteren. 'Kun je me nu eindelijk eens uitleggen hoe je in het water terechtgekomen bent?'

Hij kromde zijn blote tenen op de plavuizen. 'Ik... nou ja... ik had Etoile gezien...'

'Ik had het kunnen weten,' bromde tante Justine. Ze ging moeizaam zitten, nam haar hoed af en waaierde zich daarmee frisse lucht toe. 'Nou? Ik wacht.'

Verlegen ging Alain met de handdoek over zijn haar. Hij wilde niet al te beroerd uit het verhaal naar voren komen en zocht naar woorden. Nijdig omdat hij bleef zwijgen, nam Mireille het woord: 'Hij was zijn hoofd weer eens kwijt. Zoals gewoonlijk!' In een paar woorden schetste ze wat er gebeurd was. Met alles wat ze zei, was Karin het eens. Geïrriteerd ging Alain van zijn ene voet op de andere staan.

'Zo erg was het heus niet,' snoof hij toen hij er eindelijk tussen kon komen. 'Mireille overdrijft. Met een beetje geluk had ik er ook wel op eigen kracht uit kunnen komen...'

Tante Justine, die haar hoed had bekeken, gooide die opeens met een hoge boog door de kamer. 'Denk je dat?' vroeg ze op ijzige toon. 'Zonder de tegenwoordigheid van geest van je zusje zouden we acht dagen met stokken lang het meer hebben moeten afzoeken om je te vinden!'

Alain slikte en zweeg. Opeens sloeg tante Justine met haar vuist op de tafel, zodat de schaal met olijven een luchtsprong maakte. 'Mijn hemel nog aan toe! Begrijp je eigenlijk wel wat je gedaan hebt? En dat alles voor een verwilderde knol, die...'

Alains gezicht lichtte op. Dit was het moment dat hij kon gebruiken. 'Zo verwilderd is hij nu ook weer niet. Hij had een verband om zijn been!'

Het effect bleef niet uit. Tante Justine trok haar wenkbrauwen hoog op. 'Een verband, zeg je?'

'Ja, dat is waar,' zie Mireille nu. 'Iemand heeft Etoile verbonden.'

Tante Justine schudde haar hoofd. 'Vreemd. Voorzover ik weet heeft niemand van de *gardians* de hengst ook maar gezien. Het moet dus iemand anders geweest zijn. Maar wie?'

Niemand keek Karin aan. Niemand zag dus hoe het bloed naar haar wangen schoot. Tante Justine dacht na. 'Die hele toestand heeft nu lang genoeg geduurd,' zei ze opeens. 'Ik zal de juiste maatregelen nemen.'

'Tante Justine...' zei Alain met verstikte stem. 'Je had het me toch beloofd? Etoile is van mij als ik hem kan bestijgen...'

Tante Justine zuchtte hoorbaar. Met een beweging die je niet van haar verwacht zou hebben, legde ze haar hand op zijn schouder. 'Luister eens, jongen, gewonde dieren zijn soms onberekenbaar. Er zijn er die de mensen ontvluchten, er zijn er die juist hun nabijheid zoeken. Misschien heeft Etoile zich in zijn toestand herinnerd dat de mensen vroeger goed voor hem geweest zijn. Dat wil echter niet zeggen dat hij zich laat dresseren en berijden.' Ze sprak langzaam en een beetje verdrietig. 'Je bent bezeten van de gedachte dat je dit paard wilt hebben en zo'n bezetenheid is altijd gevaarlijk. Van nu af aan is het uit!'

Ze zag hoe Alains gezicht betrok en de druk van haar sterke hand op zijn schouder verstevigde. 'Nee, laat me uitpraten! Een gegeven belofte moet je houden. Vandaag gaan we samen naar de wei en mag je een ander paard uit de kudde uitzoeken. Je vindt vast wel...'

Ze verstomde. Alain had haar hand met een bruusk gebaar afgeschud. Woedend keek hij haar aan en riep: 'Je mag je paarden houden! Ik wil Etoile en geen ander!'

Tante Justine vertrok geen spier. Kennelijk dwong ze zichzelf rustig te blijven. 'Je moet de dingen zien zoals ze zijn,' zei ze. 'Zelfs als het je lukt om de hengst te vangen, zal je hem nooit kunnen tomen en zadelen. Hij is te gevaarlijk en ik wil niet dat je je leven op het spel zet!'

'Ik beloof dat ik echt voorzichtig zal zijn.' In zijn opwinding liet Alain zich iets ontvallen dat tegen zijn natuur was. 'Omdat ik nu weet dat je hem kunt benaderen, zal ik me anders gedragen. Ik zal hem de teugels omleggen en...'

'En je nek breken of een van zijn hoeven tegen je benen krijgen. Genoeg, Alain!' viel tante Justine hem scherp in de rede. 'Ik verbied het je. Heb je me gehoord? Ik verbied je voor eens en voor altijd om achter dat dier aan te gaan. En je weet dat ik dat niet zomaar zeg.'

Ontmoedigd stond Alain voor haar met een van boosheid vertrokken gezicht.

'Ik weet hoe je je nu moet voelen,' ging tante Justine verder, 'maar je moet je laten overtuigen door de feiten. Dat paard is gek, begrijp je wel?'

'Etoile is niet gek,' mengde Karin zich met trillende stem in het gesprek. 'Hij wantrouwt de mensen, verder niets.' Alain keek haar verwonderd aan. Hij had zeker niet verwacht dat ze het voor hem op zou nemen.

Tante Justine haalde alleen haar schouders op. 'Dat komt op hetzelfde neer. Ik heb er trouwens genoeg van. Ik zal hem wegdoen voordat er iets onherstelbaars gebeurt. Als ik binnen acht dagen geen koper heb gevonden, zal ik een andere oplossing zoeken.'

Karin keek haar beduusd aan. Het leek wel alsof ze een emmer koud water in haar gezicht had gekregen. Ze wist dat het alleen aan Alains domme gedrag te danken was dat tante Justine deze maatregel nam. Ze ontmoette weer zijn blik en las daarin voor de eerste keer een zekere solidariteit, die voortkwam uit dezelfde angst en machteloosheid. De ijzige stilte die volgde werd verbroken door hoefslagen op de binnenplaats: de *gardians* kwamen terug. Regine kwam met een rood hoofd uit de keuken om te vertellen dat het eten klaar was.

De maaltijd verliep in bedrukte stemming. Nadat de mannen van tante Justine te horen hadden gekregen wat er was gebeurd, gisten ze naar degene die Etoile verbonden kon hebben.

'Misschien was het iemand uit Martigues of uit Albaron,' dacht Pierre.

'Of een van de zigeuners,' merkte Nicolas met volle mond op. 'Die mensen weten hoe ze dieren moeten kalmeren.'

'Die oude Thyna heeft hem zeker hasj gegeven,' grijnsde Manuel, waarop iedereen in de lach schoot, behalve Alain die er als een zoutzak bij zat, en Karin die haar hoofd diep over haar bord boog.

De *gardians* vonden het ook een raadsel, maar iedereen stemde wel in met het besluit van tante Justine.

Constantin keek naar Alain, die halsstarrig bleef zwijgen en probeerde zich begrijpend en vriendelijk op te stellen tegenover hem. 'We weten allemaal hoe hard het voor jou is, Alain, maar je moet verstandig zijn. Je kunt dat dier niet vertrouwen. Etoile is een prachtig paard, maar gewend aan vrijheid. Wat hem is aangedaan, is niet meer goed te maken. De bazin heeft gelijk. Het is beter hem weg te doen voordat er ongelukken gebeuren.'

Alain prikte het ene stukje vlees na het andere aan zijn vork en legde het op de rand van zijn bord. Zijn gezicht stond onbeweeglijk, bijna onverschillig. Uit niets, behalve misschien uit zijn automatische bewegingen, bleek zijn boosheid, maar Karin voelde hoe diep die zat. Ze had zelf ook geen eetlust. Het leek wel of het vlees, dat was gekruid met laurier en tijm, en de saffraanrijst naar modder roken.

Meteen na het eten gingen de *gardians* terug naar de wei en tante Justine verdween in haar werkkamer. Nadat ze met hun drieën Regine hadden geholpen met afruimen, bleven Alain, Mireille en Karin in de woonkamer achter. Buiten brandde de zon. Alleen het sjirpen van de krekels en het zware, gelijkmatige tikken van de klok waren te horen. Alain kon eindelijk zijn gevoelens ventileren.

'Laat ze allemaal naar de pomp lopen! Als ze denken dat ik toegeef, hebben ze het goed mis!'

'Tante Justine heeft er een hekel aan als je haar tegen-spreekt,' merkte Mireille als terloops op.

'En ik heb er een hekel aan als ze mij achter mijn rug uit-lachen,' snoof Alain. 'Als je dit paard kunt vangen, is het van jou,' deed hij zijn tante na. 'En dan opeens is het: Over en uit! Alleen omdat het haar zo uitkomt.' Hij tikte nijdig met zijn wijsvinger tegen zijn slaap. 'Zal ik jullie eens wat zeggen: dat paard is niet gek, maar mijn tante wel! Maar zo gemakkelijk als zij denkt, gaat het niet. Ze heeft me Etoile beloofd en ik zal haar dwingen om woord te houden.'

'Dan wens ik je veel geluk,' antwoordde Mireille dood-gemoedereerd. 'Veel tijd heb je niet meer.'

Opeens viel haar blik op Karin. 'Wat is er met jou aan de hand? Je ziet opeens zo bleek!'

'O niets...' Karin probeerde te glimlachen. 'Ik... ik voel me een beetje raar, meer niet.'

Mireille zuchtte. 'Wat een dag! Het paard gek, mijn broer hysterisch, mijn tante boos. Dat is allemaal niet zo goed voor de spijsvertering. Kom op, Karin, we gaan siësta houden!'

Alain bleef alleen achter. De beide meisjes gingen naar boven. Ze trokken hun spijkerbroek uit en lieten zich op hun bed vallen. Met wijd opengesperde ogen staarde Karin naar het houten plafond. Ze kon niet anders dan aan de grote, witte hengst denken. En daarbij werd ze bang. Het was niets voor tante Justine om loze woorden uit te spreken. Alleen al de gedachte dat Etoile aan een of andere paardenhandelaar verkocht zou worden, maakte dat Karin haar maag voelde omdraaien. Tot haar verbazing voelde ze zich opeens veel dichter bij Alain dan bij Mireille. Niets van wat hij voelde, was haar vreemd. Heel even kwam ze in de verleiding naar hem toe te gaan en hem te vertellen wat ze die nacht had meegemaakt, maar de moed ontbrak haar. Als Alain haar ervan zou beschuldigen dat ze het paard voor zich wilde winnen, zou ze zijn wantrouwen en zijn woede wekken.

De gedachte die ze al aan de oever van het meer had gehad, nadat ze Alain hadden gered, drong zich weer aan haar op. Ze moest Etoile vinden. Ze wist instinctief dat alleen zij de hengst kon kalmeren en die gedachte liet haar niet meer los. Voorlopig was er nog geen sprake van dat ze Mireille in vertrouwen kon nemen – ze moest alleen te werk gaan. Langzaam vielen de praktische details van haar plan in elkaar. Eerst moest ze wachten tot het nacht geworden was. Mireille sliep altijd heel diep en ze zou het niet horen als Karin de kamer uit sloop. De paarden stonden op de binnenplaats. Rose zou zich zonder problemen laten zadelen. Het was volle maan en dus licht genoeg om zich te kunnen oriënteren. Bovendien kende ze de streek nu wel.

Alain? De gedachte aan hem liet ze niet eens toe. Weg met die bedenkingen! Dat kon later nog wel. Voorlopig moest ze aan het paard denken...

10

De klok in de hal sloeg elf keer. Langzaam vielen de zware slagen in de stilte. Karin luisterde gespannen. Iedereen in de 'Mas' leek te slapen. In het bed naast het hare haalde Mireille rustig en gelijkmatig adem. Karin had ijskoude voeten en natte handen. Nu het moment daar was, aarzelde ze toch. Wat als ze de weg kwijtraakte in het moeras? Of opeens tegenover een wilde stier kwam te staan? Ze noemde zichzelf een angsthaas en dwong zich op te staan. Geluidloos zette ze haar blote voeten op de grond. In het halfdonker trok ze haar spijkerbroek, een T-shirt en een trui aan. Met haar laarzen in haar hand deed ze de deur open en stapte zachtjes de gang op. Een paar keer deden de krakende traptreden haar hart bonzen, maar eindelijk stond ze toch bij de huisdeur. Haar trillende vingers konden de grendel met moeite terugschuiven. Toen ze buiten stond, trok ze haar laarzen aan en liep naar het afdak waar de paarden stonden. Het was niet gemakkelijk om Rose in het donker te zadelen. De merrie hinnikte zachtjes en zette haar buik zoveel mogelijk op, toen Karin de buikriem aan wilde trekken.

'Doe niet zo flauw,' fluisterde ze nijdig. 'Kom, we gaan een ritje in de maneschijn maken.'

Ze maakte het paard los en sprong in het zadel. Rose snoof en zette zich met tegenzin in beweging. De heldere, zilverachtig glanzende maan stond achter de zwarte bomen, waarvan de twijgen zachtjes wiegden in de wind. Tot haar verbazing merkte Karin dat ze huiverde. Nadat ze de binnenplaats had verlaten, hield ze haar paard even in om te luisteren naar de geluiden van de nacht. Vreemd genoeg was haar angst nu verdwenen. Ze spoorde het paard aan en sloeg de weg naar het strand in.

Ze reed langs een omheining, waarachter de liggende lijven van de paarden zich aftekenden, en kwam daarna door een beukenbos. In het kreupelhout scharrelden kleine, onzichtbare wezentjes. Rose stoof met grote passen voorwaarts. Opeens kwam er een wolk voor de maan en werd het stikdonker. Geritsel in het gebladerte deed Karin van schrik ineenkrimpen. Onwillekeurig trok ze haar hoofd tussen haar schouders toen de vleugel van een uil vlak langs haar scheerde. Haar hart klopte in haar keel en ze had het gevoel of het geluid weerkaatste in het donker. Ze haalde opgelucht adem toen ze het struikgewas weer kon verlaten. De hoefslag van Rose was duidelijk te horen op het harde zand van de *sansouires*. In de verte meende Karin het donkere, glanzende oppervlak van het meer te zien. Nu gleed de maan weer tussen de wolken vandaan. Alles kreeg terug een scherpomlijnde omtrek.

Karin hield haar paard regelmatig even in en luisterde. Heel lang hoorde ze niets, maar opeens leek het alsof ze in de buurt van de duinen een paard hoorde snuiven. Ze stuurde Rose die kant uit en langzaam werden de zachte contouren van de duinen zichtbaar. Opeens huiverde Rose en ze hinnikte luid. In de verte werd haar roep beantwoord door een paard. Rose versnelde haar pas. Haar hoeven groeven zich in het vochtige zand. Voordat Karin de zee kon zien, hoorde ze al het regelmatige geklots van het water achter de met brem bedekte heuvels. Daarna werd de lichte reep strand zichtbaar. De zee lag erbij als een enorme, donkere spiegel. Op hetzelfde moment dat ze de paarden zag, wist Karin dat het de kudde van Etoile moest zijn. Haar aanwezigheid leek de dieren niet te storen. Een paar paarden plukten aan het dorre gras aan de voet van de duinen. Andere lagen in het zand en leken te slapen. Een eindje verderop wroette een sterke hengst in het zand. In het licht van de maan zag Karin dat hij een donkere vlek op zijn voorhoofd had. Tevergeefs zocht ze met haar blik het strand en de duinen af naar Etoile. Waar was hij nu? Zou hij zich sinds het ongeluk afzijdig houden van de kudde? Rose kauwde ongeduldig aan haar bit en trok aan de teugels. Karin hield haar in. Ze wilde de paarden niet onrustig maken door hen nog dichter te naderen. Opeens overviel haar een gevoel van moedeloosheid. De vermoeidheid drukte op haar en ze wilde omkeren. Waarom zou ze nog langer blijven zoeken?

Op hetzelfde moment dat ze haar paard aanspoorde, deed een zacht geluid haar omkijken. Als uit het niets opgedoken stond Etoile op het hoogste duin en keek haar met opgeheven hoofd aan. Zijn dikke, lange manen glansden.

Karin liet zich uit het zadel glijden. Met zekere gebaren

maakte ze de voorbenen van Rose aan elkaar vast. Dat had ze afgekeken van de *gardians*, die dat ook deden als ze hun paard even alleen moesten laten. Toen liep ze de duinen op. Onbeweeglijk stond de hengst te wachten terwijl ze op hem af ging. Karin wist dat het paard haar elk moment kon aanvallen en haar dan als een strohalm omver zou werpen. Toch was ze helemaal niet bang. Ze was nu bijna bij hem. Behoedzaam stak Karin haar hand uit en legde die op zijn voorhoofd. Heel even trilde het dier. Toen boog hij zijn hoofd. Zijn neusvleugels gingen open terwijl hij aan Karin snuffelde. Het touw dat Alain die ochtend om zijn nek had gegooid, hing losjes om zijn hals. Karin haalde het terug over zijn manen en liet het op de grond vallen.

'Dat is beter,' zei ze.

Etoile bewoog zijn oren. Karin glimlachte. Ze streelde zijn hals, zijn flanken, en knielde toen neer bij zijn gewonde been. Het verband was hard van de gedroogde modder. Ze zocht in de zakken van haar spijkerbroek en ontdekte tot haar geluk een zakdoek. Het kostte haar veel moeite om de stevige knoop los te maken. Voor zover ze dat kon beoordelen, genas de wond goed, maar toch legde ze met de zakdoek een nieuw verband aan om de wond te beschermen tegen takken en doorns.

Tevreden kwam ze overeind. Etoile had zich niet verroerd. Voorzichtig legde Karin haar armen om zijn hals en leunde met haar gezicht tegen zijn hoofd. Ze hoorde hoe hij rustig ademhaalde. Een poosje bleef ze tegen zijn warme lijf geleund staan.

Opeens klonk vanaf het strand een kort, krachtig gehinnik. In minder dan geen tijd was Etoile weer alert. Onverwacht sprong hij opzij, zijn spieren tot het uiterste gespannen. Zijn sterke hals zette uit en hij snoof. Karin deinsde achteruit. Met één sprong was de hengst langs haar heen en galoppeerde het duin af. Pas nu zag Karin wat Etoile zo onrustig had gemaakt: het was het paard met de zwarte vlek, die tussen Etoile en zijn kudde was gaan staan als om hem de weg te versperren. Met fladderende manen stormde Etoile op hem af. Het gekletter van de hoeven weerkaatste tegen de duinen. Karin huiverde.

Zouden de beide paarden met elkaar gaan vechten? Op het laatste moment echter sprong het paard met de zwarte vlek opeens opzij om de aanval te ontwijken. Als een losgeslagen projectiel ging Etoile op zijn tegenstander af. Hij strekte zijn hals. Zijn kaken maalden. Het was een waarschuwing, maar Karin had de indruk dat hij een gevecht wilde vermijden. Vermoedelijk wachtte hij op een andere, betere gelegenheid. De korte aanval had de kudde echter onrustig gemaakt. Als wilden stoven de paarden uit elkaar. Opeens – alsof er een geheimzinnig teken gegeven was – galoppeerde Etoile in de richting van het moeras. De kudde stoof achter hem aan. Zijn rivaal, de hengst met de zwarte vlek, die achtergebleven was, sloeg een paar keer met zijn achterbenen om zijn ergernis te laten blijken, en volgde toen de kudde. Heel even was de lucht vol van het geluid van brekende planten. Toen werd het weer stil. Op het met schitterend schuim bedekte strand bleven alleen de talloze sporen van hoeven achter.

Aan de voet van de duinen hinnikte Rose ongeduldig.

Karin maakte haar los en sprong in het zadel. Rose wilde achter de kudde aan, maar Karin trok de teugels strak, want ze vond het beter om zich verre van de kudde te houden. Uiteindelijk lukte het haar Rose weer volledig onder controle te krijgen en draafde ze in tegenovergestelde richting weg. Pas nu werd Karin zich bewust van haar ongelooflijke geluk. Etoile had vertrouwen in haar! Ze herinnerde zich hoe vertrouwelijk ze haar hoofd tegen zijn schouder had gelegd, voelde weer zijn warme adem. Nee, dit paard was niet gek! Karins hart zwol van de triomfantelijke zekerheid dat ze de volgende nacht weer naar het strand zou gaan. Dan zou ze weer op Etoile wachten! Toch kon ze haar geheim met niemand delen, zelfs niet met Mireille en vooral niet met Alain. Opeens besefte ze weer welk gevaar de hengst bedreigde en haar angst leek bijna een lichamelijke pijn. Hoe kon ze voorkomen dat tante Justine haar voornemen tot uitvoer zou brengen? Ik moet iets bedenken, dacht Karin ontdaan.

De wind was ineens omgeslagen, het werd killer. De ronde, gele maan ging al in de richting van de horizon. Karin kromde haar stijve, pijnlijke rug. Ze werd overvallen door een intense vermoeidheid en verlangde alleen nog maar naar haar bed, haar kussen. Slapen...

11

Niemand kan ongestraft een halve nacht slaap missen. Dat ervoer Karin de volgende dag. Ze had staande kunnen slapen.

Meteen na het ontbijt was Alain weggereden zonder te zeggen waar hij naartoe ging. Wat is hij nu weer van plan? vroeg Karin zich wantrouwig af. Ze vermoedde dat hij ondanks het verbod van tante Justine toch weer achter Etoile aanging en onrustig beet ze op haar nagels. Het was warm en Mireille stelde voor om te gaan zwemmen. Ze gingen op de fiets, voorzien van een fles cola en wat fruit, naar het strand. Een blauwige stolp van warmte hing over de *sansouires* en boven de duinen trilde het licht. Aan het strand, waar een warme wind waaide, rook het naar drogend zeewier. Ver weg deinde de zee.

'Er hangt onweer in de lucht,' zei Mireille. Karin legde haar hand boven haar ogen en wierp een verstolen blik op de afdrukken van de hoeven in het zand, die langzaam verwaaiden in de wind.

'Waar denk je aan?' vroeg Mireille, toen Karin zich niet bewoog. Karin werd rood alsof ze iets te verbergen had. De fles zonnebrandolie die Mireille haar aanreikte, gleed uit haar hand en viel in het zand.

'Het is veel te warm om te denken,' bromde ze en wreef met nerveuze gebaren het zand van de fles.

Toen ze tegen de middag terugkwamen, was Alain net bezig zijn brommer te smeren. Hij floot zachtjes en waaierde zijn met olie besmeurde handen voor de neus van de meisjes heen en weer.

'En, hebben jullie lekker gebakken?'

Onder het eten was zijn vrolijke bui alweer verdwenen en was hij vrij zwijgzaam. Karin zag hem een paar maal een blik wisselen met Pierre, die jonge *gardian* met een gouden ring in zijn oor. De mannen waren moe, op hun hemd tekenden zich grote transpiratievlekken af.

'Als er onweer in de lucht hangt, zijn de stieren niet te genieten,' zei Constantin. 'Caraque is bar chagrijnig.'

'Ik hoop dat het ook gaat regenen,' merkte tante Justine op. 'Als de bliksem inslaat, is het brandgevaar heel groot.'

'Een paar jaar geleden is de "Mas" bijna afgebrand,' legde Mireille uit. Ze vertelde Karin dat de mannen de hele nacht hadden gevochten tegen het vuur, dat was ontstaan door een blikseminslag in het riet.

Die middag had Karin wel even willen slapen, maar de warmte onder het dak was bijna verstikkend. Tegen de avond betrok de lucht en drukte loodzwaar op mens en dier. De onbeweeglijke, zwoele lucht rook naar rottend hout en modder. De aarde brandde onder hun voeten en ze konden nauwelijks ademhalen.

Karin dacht aan de nacht, die nu snel zou vallen. Zou ze zich buiten wagen ondanks het dreigende onweer? Het avondeten verliep in gedrukte stemming. Niemand had trek. Later zaten ze voor het televisietoestel, waarop een corrida in Nîmes te zien was. Dat gaf tante Justine de gelegenheid om te foeteren op de uit Spanje overgewaaide stierengevechten.

'Kijk, zie je dat! Het duurt vijf jaar om een stier op te fokken. Het is een sterk en dapper dier. Maar zij voeren hem hormonen, zagen zijn hoorns af en verzwakken hem door hem met een lans te steken. Dan heb je het niet meer over een eerlijke wedstrijd! De matador kan net zo goed met een rode doek voor een biefstuk gaan zwaaien. Die opgeblazen apen zouden het eens moeten opnemen tegen een van onze stieren!'

'Dat is waar,' viel Mireille haar bij. 'Onze stieren hebben de tijd om aan hun slimheid te werken. Ze worden beter door de vele *cocarde*wedstrijden. Moet je je Caraque in een Spaanse arena voorstellen. De toreador zou er gillend vandoor gaan.'

Op het scherm hief de matador zijn degen om de doodsteek te geven. Nonchalant stond hij voor de getergde, bloedende stier. Toen deze met zijn laatste krachten aan wilde vallen, boorde de matador zijn degen in de nek van de stier. Het lemmet ketste af op een bot, terwijl de stier wankelend achteruitdeinsde.

'Je reinste dierenmishandeling!' bromde tante Justine, stond op en zette het toestel uit.

'We zijn allemaal wat nerveus,' zei ze. 'We kunnen maar beter gaan slapen. Ik hoop dat het snel gaat onweren.'

Mireille viel onmiddellijk in slaap, doodmoe als ze was, maar Karin lag badend in het zweet wakker. Het onweer kwam dichterbij. Af en toe kwam de grote maansikkel tussen de wolkenflarden door. Tegen middernacht hield Karin het niet langer uit. Ze trok haar korte broek en haar T-shirt aan en verliet op haar tenen de kamer. Even later zadelde ze Rose zo goed en zo kwaad als het ging. De nacht was vochtig en drukkend. Er bewoog geen takje. Karin reed door een wereld waarin iedereen de adem leek in te houden. De meren glansden als vloeibaar lood. In de verte rommelde het.

Veel tijd heb ik niet, dacht Karin. Ik moet wel voortmaken...

Ze sloeg weer de weg naar het strand in. Een ingeving zei haar dat Etoile daar zou zijn. Het rommelde weer toen Rose snuivend de duinen besteeg. Haar huid glansde van het zweet. Net toen Karin het strand bereikt had, lichtte de horizon zwavelgeel op. Een enorme, donkere wolkenmuur leek uit de zee op te rijzen. Nevelflarden joegen over het water. De donder gromde weer. Karin beet op haar lip. Zou het niet verstandiger zijn om nu terug te gaan?

Op dat moment zag ze de hengst. Hij kwam met een enigszins dansend trippelen uit een duinpan. Bij al zijn bewegingen was te zien hoe krachtig zijn schouders waren, hoe stevig zijn flanken, terwijl hij zijn gewelfde hals speels op en neer bewoog. Deze keer was hij alleen.

Karin onderdrukte een kreet van vreugde. In een mum van tijd was ze uit het zadel en had ze Rose vastgebonden. Nu liep ze op de hengst af die onbeweeglijk als een standbeeld bleef staan.

'Etoile!' riep Karin met gedempte stem. De hengst leek haar te herkennen.

Ze kwam vlak bij hem staan, maar raakte hem niet aan. Etoile bleef doodstil staan, maar onder zijn huid bewogen zijn spieren zenuwachtig. Opeens boog hij zijn hoofd. Impulsief sloeg Karin haar armen om zijn hals en drukte haar gezicht tegen zijn hoofd. Met haar vingers kroelde ze op de gevoelige plek tussen zijn ogen. Etoile snoof. Karin voelde het dreigende onweer niet meer, evenmin als de spanning die in de lucht hing. Opeens echter trilde het paard en verstijfde. Onrustig spitste hij zijn oren. Zijn neusvleugels zetten uit, toen hij inademde. Karin zag een grote, vochtige vlek op een van zijn flanken. Om hem te kalmeren, haalde ze suikerklontjes uit haar zak. Etoile at ze van haar vlakke hand. Toen pakte hij met zijn grote, zachte lippen en zijn tanden haar pols.

'Hoe kunnen ze toch zeggen dat je verwilderd en gek bent?' fluisterde Karin.

Opeens voelde ze de onbedwingbare neiging op zijn rug te klimmen. Ze deed of ze het verstandige stemmetje dat haar waarschuwde, niet hoorde. Ze was ervan overtuigd dat haar zou lukken wat alle anderen tot nu toe niet gelukt was. Het zou haar lukken tante Justine... Opeens dacht ze niet meer. Heel even had ze geaarzeld, maar nu pakte ze met beide handen de harde, borstelige manen. Op dat moment werd het even licht. Een bliksemschicht schoot over zee. Er volgde een oorverdovende donder en de aarde dreunde.

Etoile was opzij gesprongen. Zijn huid glansde als metaal in de lichtflits. Karin voelde hoe haar hart tekeerging. Haar knieën trilden zo dat ze dacht dat ze zou vallen.

Iedereen in de 'Mas' is natuurlijk wakker geworden van het onweer, dacht ze geschrokken. Mireille ziet dan dat ik niet in bed lig. Ik moet nu meteen terug... Ze holde naar Rose en maakte de leidsels waarmee ze het paard had vastgezet, los. In haar opwinding miste ze de stijgbeugel en kwam met haar gezicht hard tegen het leer van het zadel terecht.

Etoile was teruggegaan tot de rand van de branding. Met nijdige, koppige bewegingen draaide hij om zichzelf, alsof hij een tegenstander, die van alle kanten op hem afkwam, wilde uitdagen. Karin drukte haar hakken in de flanken van Rose. De donder gromde nu onophoudelijk. Ze boog zich over de hals van haar merrie. Snel, nog sneller! Het onbeweeglijke riet en de glazige oppervlakten van de meren waren in een spookachtig licht gehuld. Een enorme werveling van wolken verscheen aan de hemel. Opeens vloog er een violette vlam over het water, die uit het meer leeg op te stijgen, en veegde over het landschap. Karin had het gevoel of de hemel zou barsten. Een enorme zigzaglijn schoot naar de aarde. Vlak bij haar flakkerde een brandende boom op uit het duister.

Rose hinnikte van schrik en vloog als een bezetene verder. Half versuft van schrik hield Karin de teugels omkneld. Op nauwelijks vijftig meter bij haar vandaan brandde de door de bliksem getroffen boom als een fakkel. Het dorre hout knisperde en kreunde, er vloog een vonkenregen rond. Verblind en in verwarring gebracht stampte Rose door het moeras. Er spatte modder op. Eindelijk lukte het Karin het paard weer onder controle te krijgen en naar vaste grond te leiden.

Gelukkig kon het vuur zich niet verder uitbreiden, omdat de bliksem was ingeslagen op een eilandje. Met een met schuim bedekte bek draafde Rose langs het kanaal, door de bijtende lucht van brandend hout. In het water weerspiegelde de boom als een gloeiende dubbele bloem. Karin zag hoe de brandende takken zich kromden, uit elkaar spatten en sissend in het roodachtige water vielen.

Een warme druppel spatte op haar wang uiteen, toen nog een. Eindelijk regen! Het was een langzame, zware regen en het rook al snel naar stoffige aarde en rottende planten. Karin likte gretig het frisse vocht op. Steeds sneller roffelden de druppels op haar rug en haar schouders. Karin hoorde ze ritselen in het riet en ruisend neerdalen op de kruinen van de bomen. Er viel een ondoordringbaar gordijn van water, alsof opeens de hele wolkenmassa op aarde neergedaald was. Karin zag helemaal niets meer. Tot op haar huid doorweekt tuurde ze in het donker. De natte huid van Rose verspreidde een kruidige, bijna zwavelachtige lucht. Ongehinderd, met gebogen hoofd, ging de merrie verder en Karin vertrouwde op haar instinct. Ze zou de weg naar huis wel vinden. Tot haar grote opluchting zag ze na verloop van tijd het huis, dat als een zwarte massa uit de donkere nacht opdoemde.

Haar vreugde was maar van korte duur, want op de benedenverdieping brandde licht! Haar vrees was gegrond: haar afwezigheid was ontdekt! Karin beet op haar lippen. Nu moest ze de gevolgen onder ogen zien.

Haastig zadelde ze Rose af, wreef de huid droog met een oude deken en zette haar onder het afdak, waar de paarden geen last hadden van het noodweer. Moe en door en door koud stak ze de binnenplaats over, waar de kleigrond was veranderd in een enorme waterplas. Onverwacht ging de huisdeur open. Tante Justines forse gedaante tekende zich af in het licht van de deuropening.

'Waar kom jij in vredesnaam vandaan?'

Ze droeg laarzen en een gele regenjas. Achter haar verschenen Mireille en Alain, allebei in spijkerbroek. Het was duidelijk dat ze juist op pad wilden gaan om Karin te zoeken.

Omstandig trok Karin haar laarzen uit, draaide ze om en liet het water eruit lopen. Toen keek ze op en doorstond de verbaasde blikken.

'Ik... ik kon niet slapen en toen ben ik een eindje gaan rijden.'

'Met dit weer?'

'Tja, als kind was ik al dol op onweer.' (Dat was trouwens wel waar!) 'Ik heb Rose gezadeld en ben naar de meren gereden.'

'Zoiets onzinnigs heb ik nog nooit gehoord!' bromde tante Justine, die haar best deed haar opluchting achter haar verontwaardiging te verbergen. 'Ik hoop niet dat dat je gewoonte wordt, want de meren zijn 's nachts heel gevaarlijk.'

'Niet alleen 's nachts,' merkte Mireille bits op.

'Rose kent de weg,' verdedigde Karin zich.

'Soms zijn dieren echt slimmer dan mensen,' vond tante Justine.

Huiverend sloeg Karin haar armen om zich heen. Onder

haar blote voeten had zich een plasje gevormd. Tante Justine liet de deur in het slot vallen. Ze trok haar regenjas uit, haalde een fles uit de kast en zette glazen op tafel.

'Hier, drink dit maar!'

Karin nipte van het zoete vocht. 'Wat is dat?'

'Bessenlikeur. Dat is goed tegen verkoudheid.'

Karin dronk. Een aangename warmte verspreidde zich door haar lichaam en ze voelde zich opeens veel beter.

'En nu allemaal naar bed!' commandeerde tante Justine. 'Gelukkig dat het regent, want anders hadden we ons zorgen moeten maken. Met die droogte zou het riet branden als de hel.'

'Ik zag de bliksem inslaan,' vertelde Karin. 'Er stond een boom in brand...'

Voor de eerste keer keek ze Alain aan. Ze las wantrouwen in zijn blik.

'En wat heb je nog meer gezien?'

Ze bleef hem aankijken. De bessenlikeur zorgde voor een overmoedige stemming. 'Spoken! Groene spoken die "hoeihoeihoei" deden.'

'Zo kan het wel weer. Morgen praten jullie maar verder,' kwam tante Justine tussenbeide, want ze stond op haar acht uur slaap. 'En laat ik je niet nog eens betrappen op een nachtelijke tocht.'

'Waar heb je eigenlijk uitgehangen?' wilde Mireille weten toen ze op hun kamer waren.

'Ik heb wat rondgereden, dat zei ik toch?' Karin trok haar natte spullen uit. Er kleefde zand aan haar huid en haar voeten waren zwart, dus stapte ze onder de douche.

De warme straal ontspande haar verkrampte spieren en een weldadige vermoeidheid maakte zich van haar meester. Mireille lag al in bed, maar had het licht nog niet uitgedaan.

'Waarom heb je me niet wakker gemaakt?' vroeg ze.

'Dan zou ik met je meegegaan zijn.'

'Je lag zo lekker te slapen...'

'Geef het maar toe: je bent in de Pinedo geweest en hebt daar een jongen ontmoet,' grinnikte Mireille. Ze zei het luchtig, maar Karin voelde dat ze barstte van nieuwsgierigheid. Ook nu weer stond Karin op het punt haar vriendin alles te vertellen. In feite hield ze niet van geheimdoenerij, want daar was ze veel te open en te eerlijk voor. Toch kon ze het ook deze keer niet over haar hart verkrijgen haar geheim prijs te geven.

'Jij kunt fantaseren,' antwoordde ze met een gekunsteld lachje.

'Joh, doe niet zo flauw,' drong Mireille aan. 'Je kunt het mij best vertellen.'

'Echt waar, ik heb geen mens gezien!'

'Je liegt,' zei Mireille gelaten. Ze deed het licht uit en zweeg.

Karin voelde dat Mireille gekwetst was. Onrustig draaide ze zich van haar ene zij op de andere. Met een grappige opmerking had ze Mireille wel weer aan het lachen kunnen maken en was alles weer in orde geweest, maar de opbeurende werking van de likeur was alweer verdwenen.

Hoewel Karin haar hoofd suf piekerde, kon ze niets

geschikts bedenken. De volgende keer vertel ik haar de waarheid, beloofde ze zichzelf in stilte. Het was geen overtuigende verontschuldiging, maar het was voldoende om haar geweten te sussen. Mireille was overigens niet haatdragend, dus zou ze morgen alles alweer vergeten zijn.

Het onweer trok weg. In de verte gromde nog de donder en af en toe verlichtte een bliksemschicht de kamer. Een frisse geur van vochtige aarde en sappige planten kwam door het raam naar binnen. Karins gedachten werden wazig en met haar gezicht in het hoofdkussen sliep ze in.

12

De volgende morgen stond de zon aan een stralend blauwe hemel. Een koel windje ging door het natte gebladerte, dat glansde alsof het in de was gezet was. Op de binnenplaats droogden de waterplassen op tot gele klei. 'Het onweer heeft goed gedaan,' zei Mireille, terwijl ze een boterham besmeerde met aardbeienjam. Zoals Karin al had gedacht, was haar slechte bui alweer verdwenen. Ze lachte en praatte net als anders. Alain daarentegen was nog wreveliger en nerveuzer dan anders. Gespannen luisterde hij naar het onduidelijke geluid van tante Justine, die in haar werkkamer zat te telefoneren.

'Het is al de vierde keer dat ze vanmorgen iemand aan de telefoon heeft,' zei hij.

'Wat gaat jou dat aan?' vroeg Mireille. 'Dat is haar zaak toch?'

'Ik zou wel eens willen weten wat ze in haar schild voert...'

'Je kunt aan de deur luisteren als je durft!'

Steunend op zijn ellebogen roerde hij afwezig in zijn koffie. Een klikje – tante Justine had opgehangen. Er viel een deur in het slot. De zware voetstappen van tante Justine klonken boven hun hoofd. Ze kwam de trap af, ging bij hen aan tafel zitten en schonk koffie in.

'Ik neem de landrover mee,' zei ze. 'Ik heb een afspraak in Saintes-Maries.'

Alain keek haar uitdagend aan. 'En met wie, als ik vragen mag?' Tante Justine dronk zwijgend haar koffie. Alain verloor zijn zelfbeheersing. 'Het gaat om Etoile, geef maar toe! Je hebt een afspraak met een paardenhandelaar!'

Ze dronk in alle rust haar kopje leeg en zette het terug op de tafel.

'Dat zul je nog vroeg genoeg horen,' zei ze alleen maar, stond op en pakte haar hoed van de kapstok.

Karin voelde hoe het bloed naar haar hoofd steeg. Ze stootte met haar elleboog tegen de melkkan, zodat die omviel. Met een verontschuldiging holde Karin naar de keuken om een vaatdoek te halen. Toen ze terugkwam, stond tante Justine al buiten. Ze hoorde de motor starten. De banden knarsten op de natte grond toen de auto zich in beweging zette.

Mireille keek eerst haar broer aan, vervolgens Karin. Ze keken allebei ontsteld. Toen haalde Mireille haar schouders op.

'Niets aan te doen. Tante Justine moet en zal haar zin hebben.'

Alain duwde zijn stoel achteruit en holde met twee treden tegelijk de trap op. Mireille keek peinzend naar Karin, die met een rood hoofd de tafel afnam. De trap kraakte en Alain kwam weer naar beneden met een in bruin papier gewikkeld pakket onder zijn arm. Hij liep haastig naar de huisdeur, maar Mireille was sneller en versperde hem de weg.

'Waar ga je naartoe? En wat heb je daar?'

'Dat gaat je niets aan.'

'Dat gaat me wel degelijk iets aan!'

Zwijgend vochten ze met elkaar, maar ze waren allebei even sterk. Toen scheurde het papier en er vielen een stuk of zes pakjes Gauloises op de grond. Mireille liet verbouwereerd haar armen zakken. 'Sinds wanneer rook jij die troep?'

Alain haalde uit met zijn voet, maar ze wist hem handig te ontwijken. Hij bukte zich en zocht de pakjes sigaretten weer bij elkaar.

'Laat me met rust! Ze zijn niet voor mij.'

'Voor wie dan wel?'

Alain keek haar woedend aan. 'Voor Pierre, als je het zo nodig weten wilt.'

'Sinds wanneer koop jij sigaretten voor Pierre?' Mireille begreep er niets meer van. 'Waar is dat goed voor?'

'Hij heeft me beloofd alles te melden wat met Etoile te maken heeft.'

'Wat bedoel je daarmee?' mengde Karin zich opeens in het gesprek. Ze was niet langer rood, maar wit.

Alain haalde zijn schouders op. 'Hij probeert te ontdekken wie Etoile verbonden heeft. En hij wil me helpen om Etoile te vangen. Hij rookt en aan het eind van de maand is hij altijd blut, dus heb ik... heb ik hem dit beloofd.'

Alain wees naar de sigaretten.

'Dus daar geef jij je zakgeld aan uit!' Mireille keek even naar Karin, die verlegen op haar lip beet.

'Ik ga nu meteen naar de wei,' zei Alain rusteloos. 'Er is misschien wel nieuws.' Hij wilde naar de deur lopen.

'Wacht!' riep Karin. 'Ik ga ook mee. Ik wil ook niet...'
Verrast over de vastberaden klank in haar stem, keek
Alain haar met gefronst voorhoofd aan. 'Wat wil je niet?'
'Dat... dat tante Justine Etoile verkoopt.'
Nu trilde Karins stem en Mireille keek haar verwonderd
aan. Ze deed haar mond open om iets te zeggen, maar
bedacht zich. Alain had zijn laarzen al aan en holde de bin-
nenplaats over.

Niet lang daarna reden ze langs een eucalyptusbosje
waar witte ossenpikkers bijna onder de hoeven van hun
paarden weg fladderden. Ze leidden hun paarden naar de
omheining van de stieren. Als een langzaam golvende
colonne graasde de kudde vredig tussen het natte riet. De
gewelfde ivoorkleurige horens glansden in de zon.

Pierre had de drietand in de zachte grond gestoken.
Over het zadel gebogen, stak hij een sigaret op en inha-
leerde haastig de rook.

'Wat een noodweer vannacht, hè? Het heeft de dieren
goed gedaan. Moet je eens kijken: mak als lammetjes.'

Hij gaf Alain een knipoog. 'Ik daarentegen heb meer
behoefte aan een stinkstok. Dat kalmeert de zenuwen en
verjaagt de muggen.'

'Heb je nog nieuws over Etoile?' vroeg Alain ongeduldig.

De jonge *gardian* trok zijn voorhoofd in rimpels. 'Ik heb
iets ontdekt, maar het is niet wat jij denkt. Vanmorgen zag
ik de kudde gaan en het lijkt erop dat Charbon ruzie
zoekt.'

'Wie is Charbon?' wilde Karin weten.

133

'Een jonge hengst met iets te veel eerzucht.' Pierre glimlachte toen hij haar verbaasde gezicht zag. 'Hij heeft een zwarte vlek op zijn voorhoofd, vandaar zijn naam.'

'O!' deed Karin en sloeg meteen haar hand voor haar mond.

'Wat is er?' vroeg Mireille. 'Heb je hem al eens gezien?' 'Ik... ik geloof het wel,' stotterde Karin.

Nerveus keek Alain Pierre aan. 'Ja en? Wat is er met dat paard?'

'Hij daagt Etoile voortdurend uit,' legde Pierre uit. 'Als niemand tussenbeide komt, vechten ze samen om het bezit van de kudde.' Pierre keek nu heel ernstig. 'Sigaretten of niet, ik moet het de bazin vertellen voordat het te laat is.' Hij bleef Alain aankijken ondanks diens verontwaardigde blik. 'Dat had je niet verwacht, hè? Maar Charbon is een mooie hengst en hij is niet gek, zoals die ander...'

Karin voelde wat Pierre niet met zoveel woorden had gezegd: de jonge hengst zou niet opgewassen zijn tegen de tomeloze woede van Etoile. Het was de plicht van een *gardian* om te voorkomen dat een waardevol paard, dat aan zijn zorg was toevertrouwd, iets zou overkomen.

Ook Alain had het begrepen. Hij ging met zijn tong over zijn droge lippen.

'Als het ons zou lukken Etoile voor die tijd te vangen, zou een gevecht voorkomen kunnen worden en...'

'Natuurlijk,' antwoordde Pierre en wierp zijn lange, donkere haren in zijn nek. 'Maar als er een ongeluk gebeurt, ben ik er verantwoordelijk voor. Het spijt me, Alain.'

Hij haalde zijn brede schouders op en gaf Alain de sigaretten terug. Alleen het aangebroken pakje stak hij in zijn zak.

'Onder ons gezegd: het sop is de kool niet waard.'

Alain staarde hem ongelovig en ontdaan aan. 'Dus je laat me in de steek?'

'Dat niet direct, maar ik heb je verteld hoe het ervoor staat.' Hij pakte zijn drietand en keerde zijn paard. 'Als zich een goede gelegenheid voordoet, kunnen we er wel verder over praten. Ik zou de beslissing maar aan de bazin overlaten als ik jou was.'

Weer meende Karin Pierres gedachten te kunnen raden: alleen onmiddellijke scheiding van de kudde kon voorkomen dat Etoile onheil aanrichtte. De angst snoerde haar de keel dicht. Ze had niet veel tijd meer. Ze moest nu heel snel handelen...

Alain, die terneergeslagen in het zadel zat, keek Pierre na, die door de poort terugging naar de stieren. Af en toe brulde ergens een stier, waardoor de stilte even werd verbroken.

Mireille maakte een moedeloos gebaar met haar hand. 'Kom op, Alain! Zet die knol uit je hoofd. Het heeft allemaal geen zin. Je ziet toch zelf dat het een hopeloze zaak is.'

De jongen beet zijn kiezen op elkaar. Zijn gezicht onder de hoed was bleek en er parelden zweetdruppeltjes op zijn voorhoofd. Opeens sloeg hij Caprice met de teugel, waarop het paard geschrokken hinnikte en er in galop vandoor ging. Karin keek hem geschrokken na.

'Waar gaat hij naartoe?'

'Laat hem maar met rust,' zei Mireille. 'Hij moet alleen zijn.'

Alain kwam pas tegen de middag weer terug. Zijn laarzen zaten vol klei en zijn natte hemd kleefde aan zijn lichaam. Karin was ervan overtuigd dat hij het verbod van tante Justine in de wind geslagen had en toch achter Etoile aan gegaan was. Kennelijk tevergeefs! Doodmoe en nijdig opende hij een flesje cola en dronk het in één teug leeg. Karin zocht zijn blik. Hij wiste zijn mond af met de rug van zijn hand en haalde zwijgend zijn schouders op. Weer voelde Karin die stilzwijgende verstandhouding, die hen bond en tegelijkertijd scheidde. Kon ze hem haar geheim maar vertellen! Nee, dat mocht niet! Ze betrapte zich erop dat ze op haar nagels beet en stak snel haar handen in haar broekzakken.

De stilte van de middag werd doorbroken door het geluid van een motor. Tante Justine kwam terug uit Saintes-Maries! Het was vandaag marktdag en ze had boodschappen gedaan. De halve landrover stond vol met voorraad, kratten bier en mineraalwater, die Regine en het keukenmeisje uitlaadden. Tante Justine keek bezorgd. Ze hing haar hoed aan de kapstok en verdween in haar werkkamer, die ze pas verliet toen de *gardians* kwamen lunchen. Ze gingen met het gebruikelijke geroezemoes aan tafel zitten. Karin en Alain keken verstolen naar het ondoorgrondelijke gezicht van Pierre. Ze hadden allebei dezelfde vraag: had hij het de anderen al verteld? Opeens stokte hun adem. Constantin had het woord genomen.

'Het lijkt dat Etoile en Charbon met elkaar vechten.'

Karins hoofd gonsde. Ze durfde Alain niet aan te kijken. Tegelijkertijd werd ze zich ervan bewust dat de jonge *gardian* niet meer had gedaan dan zijn plicht.

'Dat ontbrak er nog maar aan,' bromde tante Justine.

'Wie heeft ze samen gezien?'

'Ik,' antwoordde Pierre rustig.

Tante Justine gebaarde Alain om haar de schaal rijst aan te geven.

'Dat was eigenlijk wel te verwachten,' ging ze verder. 'Etoile duldt geen rivaal in zijn kudde.'

Ze pakte de sauskom aan van Regine. 'Vanmorgen heb ik het met Jean Marmet en Xavier Amande over hem gehad. Ze moeten allebei niets van hem hebben!'

'Misschien hebt u een te hoge prijs gevraagd?' zei de oude Nicolas peinzend.

'Mijn fokhengst gaat niet in de ramsj,' antwoordde ze afgemeten.

Een poosje was alleen het geluid van messen en vorken te horen. Toen keek Constantin tante Justine weer aan: 'Wat bent u nu van plan?'

'Zaterdag ga ik naar Aigues-Mortes,' antwoordde ze. 'Daar ga ik met Robert Michel praten.'

Mireille stootte Karin aan met haar elleboog en fluisterde: 'Dat is de rijkste man in de wijde omtrek. Hij kan het zich permitteren een razende hengst te kopen.'

Karin zweeg. Haar mond was zo droog, dat de schapenvleesragout erin bleef kleven. Nog twee nachten, dacht ze wanhopig.

Weer ontmoette ze Alains blik. In haar wanhoop glimlachte ze naar hem, maar zijn gezicht bleef koel en afwijzend. Die nacht wachtte Karin heel lang voordat ze haar slaapkamer verliet. Ze ging ervan uit dat ze Mireilles wantrouwen had gewekt en wilde zeker weten dat haar vriendin vast in slaap was. Op haar horloge was het al ver na middernacht toen Karin zachtjes opstond, waarbij ze erop lette dat haar bed niet kraakte. Onder het aankleden hield ze haar adem in, op blote voeten sloop ze de trap af. De grendel knarste nauwelijks toen ze hem terugduwde.

Niet lang daarna was Rose gezadeld en ging ze op weg. De ronde maan hing als een witmetalen schijf aan de hemel. De glans ervan deed de sterren verbleken. Het spookachtige licht verspreidde zich als vloeibaar zilver. Het was pure eenzaamheid: het land, de vlakte, de meren. Alleen de gedempte hoefslag en soms een geritsel in het struikgewas verbraken de stilte.

Karin was niet bang meer voor het moeras en het kreupelhout. Al snel had ze het strand bereikt. Ze liet alles aan het toeval over en vertrouwde op haar instinct om Etoile op te sporen. Des te groter was haar verbazing toen ze hem, omringd door magisch licht, als een standbeeld van zuiver kristal aan de voet van de duinen zag staan. Hij was kennelijk alleen, want de kudde was nergens te zien. Sinds de dag dat ze de hengst voor het eerst had ontmoet, wist Karin niet waarover ze verbaasder moest zijn: over de kennelijke zekerheid dat hij op haar wachtte, of over het bijzondere vertrouwen dat hij haar schonk. Met door opwinding dichtgesnoerde keel gleed ze uit het zadel en maakte Rose vast. Toen deed ze de mecate los die aan de zadelknop zat en liep langzaam door het vochtige zand. Ze was absoluut niet bang, maar vervuld van een eigenaardig vertrouwen. Als Etoile het toeliet dat ze hem naderde en hem streelde, waarom zou ze hem dan ook niet kunnen berijden? Op de donkere zee glansden lichtbundels. Etoile hinnikte – zijn hoofd hoog opgericht en met bewegende oren. Hij had haar herkend. Zoals gewoonlijk praatte Karin zachtjes tegen hem: het ging minder om de woorden dan om de klank van haar stem.

Misschien begreep deze hengst instinctief wat ze tegen hem zei: 'Ik ben het! Ik moet je wegbrengen. Het is belangrijk, want je bent in gevaar! Ik moet op je rijden. Je mag me niet afgooien. Het moet echt...'

De hengst snoof toen hij de vertrouwde stem hoorde. De manen, wiegend in de nachtelijke wind, vielen over zijn fraai gevormde hals, die het lange hoofd droeg. Nooit was Etoile mooier geweest, dacht Karin. Hij leek het te weten. Terwijl ze op hem afliep om hem te aaien, danste hij speels, boog zijn lenige hals en wiegde die, bewoog zijn hoofd op en neer. Toen ze haar hand uitstak, verstijfde hij. Ze voelde de warme, ruwe huid onder haar vingers. Ze streelde zijn zachte neusvleugels. De huid rook naar algen, zand en zweet.

Het moment was aangebroken. Karin dwong zichzelf tot kalmte. Ze haalde suikerklontjes uit haar zak. Terwijl Etoile ze een voor een van haar vlakke hand pakte, deed ze voorzichtig de dubbelgevouwen mecate in zijn bek. De hengst kauwde er argeloos op. Karin voelde haar hart tegen haar ribben slaan. Langzaam strekte ze haar arm, legde die om de hals van het paard. Met een blik schatte ze zijn lengte. Camargue-paarden zijn over het algemeen gedrongen en laten zich gemakkelijk bestijgen. Maar deze...

139

Karin stak haar hand in de manen van Etoile. Haar gedachten waren ongewoon scherp. Met haar wens om deze hengst te berijden zette ze alles op het spel: de bijzondere verbondenheid met dit dier, zijn vertrouwen, zijn vriendschap. Maar er was nog meer, want niemand kon Etoiles gedrag voorspellen...

Karin beet haar kaken op elkaar. Met haar rechterhand greep ze in de manen en ze sprong op zijn rug. Het lukte de allereerste keer. Etoiles rug was breed en verend. De regelmatige ademhaling deed zijn flanken rijzen en dalen. Er verstreken enkele seconden, toen stokte opeens zijn adem. Etoile stond doodstil met gespannen spieren. Karin slikte. Haar vingers voelden de mecate, die als teugel diende. Voorzichtig drukte ze haar knieën in de flanken van de hengst. Zijn lendenen welfden, zijn hals ging opeens naar voren. Karin had het gevoel dat het hoofd als een zak lood aan haar armen trok. Bijna op hetzelfde moment hinnikte Etoile schril, steigerde. Karin had geen tijd om te gillen. Als door een katapult afgeschoten, vloog ze door de lucht en kwam hard op de grond terecht. Het strand leek wel cement. Er verschenen sterretjes voor haar ogen. Voordat ze in het donker gehuld werd, voelde ze aan het trillen van de grond dat er een paard langs het strand weggaloppeerde...

Langzaam kwam haar bewustzijn terug. Het suizen in haar oren klonk als de rustige branding van de zee. Haar hoofd lag in een warme, zachte duinpan. Ze deed haar ogen open en zag de blauwzwarte hemel. Boven de horizon zweefde een melkwitte, ronde maan. Karin kreunde.

Ze had het gevoel of er een ijzeren ring om haar hoofd zat. Er gleed een schaduw langs haar ogen. Toen ze moeizaam haar hoofd bewoog, zag ze een gedaante, die zich over haar heen boog.

'Heb je je pijn gedaan?' vroeg een stem. Karin knipperde. In het duister kon ze een knokig, bruinverbrand gezicht onderscheiden. Grijze slierten haar kwamen onder een hoofddoek vandaan: het was Thyna.

'Wat... wat is er gebeurd?' stotterde Karin.

De oude vrouw giechelde even. 'Etoile houdt er niet van als er met hem gespeeld wordt.'

Opeens wist Karin alles weer: de ontmoeting met de hengst, haar roekeloze poging hem te bestijgen. Toen zijn nijdige tegenstribbelen... haar val... Zou ze een schedelbasisfractuur hebben?

Thyna leek haar gedachten te raden, want ze glimlachte geruststellend en drukte even Karins hand. 'Kalm maar. Het is alleen de schok. Hier, je kunt de buil voelen.'

Karin kreunde toen ze de pijnlijke zwelling voelde. Tegelijkertijd werd het haar duidelijk dat haar haren de buil zouden bedekken en slaakte ze een zucht van opluchting. Het feit dat ze haar onhandigheid niet hoefde te bekennen, maakte haar op slag nuchter en ze keerde terug in de werkelijkheid. Ze kwam overeind en sloeg het vochtige zand van haar kleren.

'... hoe lang heb ik daar gelegen?' vroeg ze.

'Een paar minuten,' antwoordde de zigeunerin. Ze had haar ogen half gesloten en staarde tussen de oogleden door.

'Ik heb je al twee nachten bekeken. Ik wist dat dit moment zou komen.'

'Maar hoe kan dat dan?' stotterde Karin.

'Als het volle maan is, slaap ik alleen de eerste uren van de nacht,' vertelde de oude vrouw. Ze hurkte naast Karin in het zand en wiegde even op haar hielen heen en weer. 'Ik word wakker met de dieren, als de geest van het schimmenrijk zich beweegt in het maanlicht en het binnenste van de aarde uit de diepte vloeit. Dat is het moment dat de dieren op jacht gaan. Als je goed luistert, kun je duizenden pootjes horen rennen, je hoort zuchten, reutelen, geweeklaag. Er woelen snuitjes in de aarde, tanden bijten de wortels door, klauwen schrapen de grond los. Er vliegen roofvogels door de struiken, de stieren dagen elkaar uit tot nachtelijke gevechten en de grote vissen duiken op uit het water...'

Gefascineerd staarde Karin de oude vrouw aan. Ze voelde hoe ze kippenvel kreeg. Thyna sprak verder met haar zachte, wat hese stem.

'Er wagen zich maar enkele mensen in de diepte van de nacht. Ze zijn bang. Bang voor de leegte, de duisternis, hun eigen bloed en het onzichtbare. De angst voor het kwaad maakt dat ze de grond onder hun voeten en de hemel boven hun hoofd niet vertrouwen. Jij bent niet bang...'

'Dat wil zeggen...' begon Karin.

'Nee, jij bent niet bang,' herhaalde Thyna en monsterde haar onderzoekend. 'Ik zei het al eerder: jij hebt het teken.'

'Welk teken?'

'Het teken waaraan de dieren hun vrienden herkennen. Met dat teken word je geboren.' Ze schudde haar hoofd. 'De dieren zijn niet onze broeders, maar ze zijn evenmin onze slaven. Hun ziel beweegt zich in een andere wereld dan de onze. Toch hebben we hetzelfde bloed, dezelfde organen, want we zijn allemaal ontstaan uit de oerklei van de aarde...'

Karin zweeg verlegen. Ze had enorme hoofdpijn en begreep maar de helft van wat de oude vrouw zei. Toen Thyna haar verwarring zag, glimlachte ze.

'Ik doe niet aan handlezen om de toekomst te kennen. Ik kijk in de harten van de mensen en zie wat ze voor zichzelf en anderen verborgen houden.'

Ze steunde met haar spitse kin in haar handen en monsterde Karin. Het meisje keek huiverend een andere kant op. Het werd tijd om naar huis te gaan, dacht ze.

Toen ze op wilde staan, zei Thyna: 'Je hebt Etoile beledigd. Het is aan jou zijn vertrouwen terug te winnen.'

Karin kromp in elkaar. 'Wat moet ik dan doen? Tante Justine zegt dat hij vals is en gek. Ze heeft besloten hem te verkopen. Als ik hem had kunnen berijden, zou het bewijs geleverd zijn dat ze zich vergist. Die kans is nu verkeken. Etoile zal me nooit meer in zijn buurt dulden...'

De oude vrouw stak de natte zakdoek, waarmee ze Karins gezicht had bevochtigd, in de zak van haar wijde rok. 'Wie weet. Hoewel het niet zo lijkt, is het altijd het dier dat zijn baas uitzoekt. De mens in zijn superioriteit wil dat echter niet weten, net zomin als hij afhankelijk wil zijn van de aarde, de zee en de hemel. Van alle wezens op aarde is hij de enige die zijns gelijke uitroeit, waarbij hij zijn wandaden ook nog probeert te rechtvaardigen...'

De oude vrouw was steeds zachter gaan praten. Karin moest zich voorover buigen om haar te kunnen verstaan. Ontdaan ging ze nu weer rechtop zitten. De uitdrukking op Thyna's gezicht was weer veranderd. Haar ogen lagen diep in hun kassen en ze maakte een vermoeide, oude indruk. Ze leek eerder een bundeltje vodden, waar een zurige zweetlucht uit kwam.

Karin voelde hoe haar keel samenkneep. De oude vrouw sprak geen wartaal, maar wat had het voor zin naar haar te luisteren? Het was zinloos zichzelf iets wijs te maken. Etoile was immers voor haar voor altijd verloren.

Opeens welden er tranen in haar ogen. Ze slikte dapper en zei op matte toon: 'Ik... ik moet nu gaan.' Toen ze opstond, slaakte ze een kreet. Haar hele lichaam voelde als geradbraakt. Ze moest wel overal blauwe plekken hebben.

Van heel ver weg hoorde ze Thyna naast haar oor zeggen: 'Als je wilt, zal ik hem wel temmen zodat jij op hem kunt rijden.'

'Wat?' hijgde Karin.

'Als je wilt,' herhaalde de oude vrouw, 'help ik je.'

'Maar... maar hoe wil je dat doen?' stotterde Karin.

Een eigenaardig glimlachje verhelderde Thyna's gezicht. 'Dat is mijn zaak. Kom morgen om middernacht maar hier, dan kun je op Etoile rijden zonder als een steen door de lucht te vliegen.'

Karin moest wel heel dom gekeken hebben, want spottend voegde Thyna eraan toe: 'Wees maar niet bang. Ik vraag geen geld en evenmin geschenken.'

'Daar... daar had ik nog niet eens aan gedacht,' verdedigde Karin zich.

Thyna kwam met een verende beweging overeind, zonder met haar handen de grond te raken. 'Als ik je help, dan doe ik dat alleen omdat Etoile jou uitgekozen heeft,' zei ze ernstig. 'Jou en geen ander.' Ze liet haar knokige vingers over Karins schouder gaan. 'Het wordt tijd om te gaan, kind. De dag breekt aan.'

Karin wankelde naar Rose toe, maakte de teugels los en hees zich in het zadel. Elke stap van het paard leek haar botten door elkaar te schudden en ze moest zich verbijten om niet te kreunen. De oude vrouw stond op het strand en volgde Karin met haar blik. Haar wijde rok wierp een zwarte schaduw over het lichte zand.

Toen Karin bij de 'Mas' kwam, werd de lucht in het oosten al lichter. Kwetterende vogels in de bomen kondigden de morgenschemering aan. Karin viel van vermoeidheid bijna van haar paard. Met stramme vingers zadelde ze Rose af en sleepte zich toen naar binnen, de trap op. Zonder licht te maken trok ze haar vochtige kleren uit in de badkamer en stopte ze in de wasmand. Haar haren zaten vol zand, maar vanwege de buil durfde ze het niet uit te borstelen. Gretig dronk ze uit de kraan, want haar keel was droog.

Voorzichtig deed ze de slaapkamerdeur open. Mireille lag met haar gezicht naar de muur, maar opeens draaide ze zich om. Karin verstijfde. Ze bleef even staan en voelde hoe haar hart bonsde. Mireille lag nu weer heel stil. Karin haalde opgelucht adem. Gelukkig, haar angst was ongegrond, want Mireille sliep.

Het bloed bonsde in haar slapen toen Karin in bed stapte. Ze trilde. Ze moest steeds denken aan de vreemde belofte van de oude vrouw. Wat was Thyna van plan? Hoe moest het haar lukken de hengst klein te krijgen?

De morgenschemering lekte al door de kieren van de luiken toen Karin eindelijk in een korte, loodzware slaap wegzakte.

13

Karin werd gewekt door een lichtstraal en luide stemmen onder haar raam. Slaapdronken, met opgezwollen ogen keek ze naar haar vriendin die al aangekleed was. Mireille leunde uit het raam en draaide zich vervolgens met een nijdige kreet om.

'Tante Justine is woest, en terecht! Caprice hinkt en Alain heeft er niets van gemerkt.'

Karin kwam op haar ellebogen overeind. Ze voelde een stekende pijn in haar hoofd en legde haar hand op haar voorhoofd. 'Au!'

Bevreemd keek Mireille haar aan en vroeg: 'Goed geslapen?'

Karin meende een spottende ondertoon in haar stem te horen, maar ze deed haar best niets te laten merken. 'Valt wel mee,' stotterde ze. 'Ik heb... ik heb een buil op mijn hoofd. Ik heb waarschijnlijk mijn hoofd gestoten tegen de muur.'

'Dat zal dan wel,' antwoordde Mireille spottend. 'Ik hoorde midden in de nacht een geluid.' Ze zweeg even en voegde er dan als terloops aan toe: 'Toen ik naar je bed keek, was het leeg...'

Karins gedachten buitelden over elkaar. Ze wist niet of ze spierwit of knalrood was.

147

'Ik voelde me niet zo lekker. Ik was... ik was even naar de wc.'

'Dat was dan wel een lang bezoek,' zei Mireille droog. 'Had je last van diarree? Misschien door die buil of omgekeerd?'

En weg was ze.

Karin bleef met open mond achter. Ze stond op en wankelde naar de badkamer. Misschien kreeg ze van pure opwinding nu wel echt diarree! De spiegel boven de wasbak toonde een ingevallen gezicht met rode, gezwollen oogleden.

Voorzichtig trok ze haar haren uit elkaar om de buil te bekijken. De plek was helemaal blauw en er kleefde geronnen bloed aan.

Karin trok haar pyjama, die nat was van het zweet, uit en stond heel lang onder de warme douche. Na verloop van tijd voelde ze zich eindelijk beter.

Toen ze niet lang daarna op de binnenplaats kwam, was tante Justine samen met Jackie en Manuel bezig om Caprices hoef te onderzoeken. Alain stond er verlegen naast en Mireille kauwde met een chagrijnig gezicht op een stukje kauwgum.

'Ah, dat is het dus... nu zie ik het,' bromde tante Justine na verloop van tijd. 'Er zit een rietsplinter in zijn hoef. Dat moet al een dag of twee, drie geleden gebeurd zijn, want de wond is ontstoken. Als je een paard krijgt toevertrouwd, jongeman, dan moet je er beter voor zorgen.'

Alain zweeg. Tante Justine haalde diep adem. 'Jackie, haal jij eens een pincet en een desinfecterend middel,' beval ze. 'Die splinter moet eruit. Laten we hopen dat we de dierenarts er niet voor nodig hebben. Hier, jij houdt de teugels vast!' zei ze nors tegen Alain.

Even later kwam Jackie terug met de gevraagde spullen. Daarna hielp hij Manuel om het paard vast te houden. Caprice rolde angstig met zijn ogen, maar verzette zich nauwelijks. Met verbazingwekkende kracht tilde tante Justine het been van het paard op en drukte het tegen haar been. Toen kneep ze haar ogen tot spleetjes om de juiste plaats te kunnen zien. Handig trok ze een enorme rietsplinter uit de voet van het paard.

De wond etterde en bloedde. Het paard rilde even.

'Goed vasthouden!' hijgde tante Justine.

Ze desinfecteerde de wond snel en legde een verband aan.

'Let goed op hoe ik dat doe,' zei ze tegen Alain. 'Je moet het verband elke morgen en elke avond vernieuwen om de ontsteking te genezen. En Caprice mag een paar dagen niet bereden worden, is dat duidelijk?'

'Ja,' antwoordde Alain bedrukt. 'Mag ik een ander paard nemen?'

'Zodat je dat ook nog kreupel rijdt?' Ze wiste met haar mouw het zweet van haar gezicht. 'Een paard is een levend wezen waarvoor jij verantwoordelijk bent.' Ze gaf Caprice een liefdevol tikje en waste haar handen bij de pomp.

'We gaan ontbijten,' zei ze toen.

'Jij hebt zeker liever thee dan koffie?' vroeg Mireille op suikerzoete toon aan Karin. Die grijnsde maar wat. Goed, ze moest zich neerleggen bij het feit dat Mireille had gemerkt dat ze die nacht weg geweest was. Maar zou ze me ook hebben zien weggaan? vroeg Karin zich af.

Haar vriendschap en hun wederzijds vertrouwen vroegen van haar dat ze Mireille eerlijk vertelde wat er aan de hand was. Maar Thyna verwachtte haar volgende nacht. Ze mocht de belofte aan de zigeunerin niet breken én ze wilde haar geheim niet prijsgeven. Hoe moeilijk ze het ook vond, toch zweeg Karin. Van pure verwarring durfde ze haar mond niet opendoen en evenmin Mireilles blik ontmoeten. Morgen vertel ik het haar, dacht ze. En wat Alain aangaat...

Ze beet op haar lippen en zette alle verdere gedachten van zich af. Morgen, herhaalde ze in zichzelf, echt waar.

In de loop van de dag werd de stemming steeds bedrukter. Mireille was niet te genieten. Alain, die geen paard tot zijn beschikking had, verveelde zich en werkte iedereen op de zenuwen.

Aan het eind van de middag verwisselde hij het verband van Caprice. Terwijl Regine en Mireille het paard vasthielden, desinfecteerde Alain met de hulp van Karin de wond en legde een nieuw verband aan. Karin zag verbaasd hoe handig en voorzichtig hij daarbij te werk ging. Uit zijn bezorgde gezicht, maar ook uit zijn korte, vriendelijke woorden, bleek dat het welzijn van het paard hem ter harte ging en dat hij er spijt van had dat hij niet had gemerkt dat het dier gewond was.

'Weet je, paarden kijken niet waar ze hun voeten neerzetten. En ze zijn taai. Als wij zo'n ding onder onze nagel krijgen, springen we tegen het plafond. Bij een paard merk je zoiets pas als het al ontstoken is. Hola... Caprice, rustig, want anders krijg je er een.'

Met verhitte wangen wierp hij Karin, die niet wist waar ze met het vieze verband naartoe moest, een ongeduldige blik toe. 'Gooi het toch in de vuilnisbak, domoor!'

Peinzend liep ze weg. Het werd haar steeds duidelijker dat Alain achter zijn bruuske manieren zijn onzekerheid probeerde te verbergen. Zijn spot en zijn lompe gedrag waren niets anders dan theater. Door de hardnekkigheid waarmee hij achter Etoile aan zat, wilde hij zich sterker voordoen en zichzelf bewijzen hoe mannelijk hij was. Precies het tegenovergestelde van mij, dacht Karin verrast. Omdat ik niet veel zeg, denken mensen dat ik geen zelfvertrouwen heb. In werkelijkheid weet ik heel goed wat ik wil en hoe ik me moet gedragen! Thyna was de enige die zich geen zand in de ogen had laten strooien. Karin herinnerde zich haar eerste ontmoeting met de zigeunerin en de afkeer die ze tegenover Alain had gevoeld. Met haar mensenkennis had ze de branie van Alain doorzien. Je speelt niet met het vertrouwen van een dier...

Karin zuchtte. Haar gezicht gloeide, enerzijds vanwege haar slechte geweten, anderzijds van ongeduld of misschien wel van de zon – de buil stak en al haar botten deden pijn. Ze had geen zin om te gaan zwemmen of te gaan rijden, ze wilde zelfs niet weg. Een serieuze vraag hield haar bezig: hoe moest ze die nacht wegkomen zonder dat Mireille het merkte?

De hele dag was het warm en zelfs de avond bracht

geen verkoeling. De maan ging laat op en steeg recht omhoog aan een zwarte hemel. Vanaf de meren klonk het gedempte gekwaak van de kikkers.

Karin lag in bed en vocht tegen de slaap. Ze wilde niet slapen en dwong zichzelf om tot honderd te tellen, vervolgens tot duizend, alleen maar om haar ogen open te houden.

Mireille had haar de hele avond gemeden. Nadat ze haar haren had gewassen, ging ze naar bed en las, wat anders niet haar gewoonte was. Nu leek ze eindelijk te slapen. Karin keek op de lichtgevende cijfers van haar horloge. Bijna elf uur! In de 'Mas' ging iedereen altijd heel vroeg naar bed.

'Mireille, slaap je?'

Geen antwoord. Karin slikte. 'Hoor je me?'

Weer niets. Karin zette haar benen naast het bed en kwam zachtjes overeind. Met ingehouden adem liep ze naar het bed van haar vriendin en boog zich over Mireille heen. Mireilles gezicht, half verborgen onder het kussen, was ontspannen. Haar wimpers trilden niet. Een diepe ademhaling deed haar borst dalen en rijzen. Ze sliep echt! Opgelucht kleedde Karin zich aan, sloop de trap af en ging de binnenplaats op. De paarden stonden wat te doezelen. Het duurde een paar minuten voordat Karin de weerbarstige Rose had gezadeld, maar toen kon ze merrie toch aan de teugel meevoeren. Een eindje bij de 'Mas' vandaan klom ze pas in het zadel. De maan stond nu hoog aan de hemel, maar gaf weinig licht. Af en toe flitste er een vallende ster naar de horizon. Gewiegd door de rustige, grote stappen van Rose, luisterde Karin naar het kwaken van de kikkers of het fluiten van de wulpen. Aan de rand van de meren bewogen de flamingo's en kabbelde het water.

Rose had uit zichzelf het pad naar het strand genomen. Toen Karin door de duinen reed, was er niemand op het strand. 'Rond middernacht', had Thyna gezegd. Karin ging met haar tong langs haar lippen. Haar mond was droog van ongeduld en opwinding. Ze trok haar gymschoenen uit, liep het water in, bukte zich en doopte haar hand in het water. Opeens had ze zin om te zwemmen. Ze trok haar korte broek en haar T-shirt uit en waadde door het kabbelende water. Toen ze tot haar heupen in het water stond, zwom ze geruisloos met haar armen onder water. Het leek wel of het water haar optilde en liet zakken. De nauwelijks voelbare schommelingen volgden de beweging van de golven. De zee ademt, dacht ze, draaide zich op haar rug en liet zich door de schommelende golven dragen.

Er sloeg een golf over haar heen. Ze kreeg water binnen, hoestte en spuugde het weer uit. Haar voeten raakten de zanderige bodem. Vanaf het strand keek een onbeweeglijke, donkere gedaante naar haar: Thyna.

Karin liep het water uit en wurmde zich moeizaam in haar kleren.

'Kom,' zei Thyna. 'Laat je paard maar hier staan. Dat loopt niet weg. Maar neem wel een touw mee.'

Ze ging op weg en Karin volgde haar, rillend van de kou. De oude vrouw liep verbazingwekkend snel en licht met de gang van een jonge vrouw, stelde Karin verrast vast. Thyna stak de duinen over zonder te hijgen of langzamer te gaan lopen. Ze zei niets en Karin durfde geen vragen te stellen. Hun voeten zonken al snel weg in de drassige bodem. Ze baanden zich een weg door het knisperende, hoge riet dat tegen hun gezicht en hun armen sloeg. Opeens hield Thyna stil. Voor haar lag een kanaal, dat in een van de meren overging. De oude vrouw gebaarde Karin te wachten. Ze ging het water in en trok een bootje vanuit het kreupelhout op de oever. Zwijgend gebaarde ze Karin in te stappen. Karin volgde haar en ging op de wormstekige planken zitten. Staande duwde Thyna de stok in het water. Zacht klotsend maakte de boot zich los van de struiken en dreef naar het midden van het kanaal. Ze gleden tussen de oevers door en om hen heen steeg de stank van ontbinding op uit het water. Hier en daar deden de krakende planken de slapende vogels in het riet opschrikken. Karin luisterde naar hun opgewonden gepiep en de vleugelslagen. Na een poosje trok Thyna de stok terug en liet de boot op de lichte stroming verder drijven. Pas nu durfde Karin iets te zeggen.

'Waar is Etoile? Waarom is hij niet aan het strand?'

'Charbon zoekt de heerschappij over de kudde. Als Etoile de baas wil blijven, zal hij moeten vechten.'

Pierre had zich dus niet vergist! De strijd tussen de beide rivalen was onvermijdelijk.

'Tante Justine maakt zich zorgen om het leven van Charbon,' vertelde ze. 'Morgen gaat ze praten met iemand uit Aigues-Mortes. Ze hoopt Etoile te kunnen verkopen.'

'Mensen moeten zich niet mengen in de aangelegenheden van dieren,' antwoordde Thyna en trok haar smalle schouders op. Ze pakte de stok weer en duwde de boot naar de oever. Karin hoorde hoe het riet ritselde en de romp van de boot op de kiezelstenen stootte. De oude vrouw sprong behendig in het ondiepe water. Ze trok de boot op de kant en maakte het touw vast aan een grote steen. Toen gebaarde ze Karin om uit te stappen. Door de modder waadde ze naar de oever. Het water sopte in haar schoenen. Eindelijk voelde ze vaste grond onder haar voeten. Zwijgend liep ze verder achter de zigeunerin die haar voorging en met beide armen het riet opzij boog. Opeens klonk in het donker een zacht gehinnik.

Thyna hief haar hand en fluisterde: 'Stil!'

Karin hield haar adem in. Ze liepen op een smal strookje zand door het moeras, dat tussen hoog gras, riet en bebladerde struiken verborgen lag.

Thyna bleef zo abrupt staan, dat Karin bijna tegen haar opgebotst was. Tegen de donkere omtrek van tamarinden bewogen rustig de grote, lichte gedaanten van de paarden. Een paar lagen op de grond, andere graasden, dronken of drentelden van de ene struik naar de andere, van de ene poel naar de andere. Hoewel de kudde gevoeld moest hebben dat ze er waren, schonk geen van de paarden aandacht aan hen.

Opeens klonk hoefgestamp gevolgd door een schril, uitdagend gehinnik. Een nijdig snuiven vlak achter haar deed Karin opzij springen. Een paard in volle galop schoot langs haar heen! Toen het strijdlustig met zijn manen schudde, zag ze een zwarte vlek op zijn voorhoofd. Bijna tegelijk

155

bewogen de struiken aan de andere kant. Langzaam kwam Etoile onder de bomen vandaan. Zijn manen wiegden, zijn lange, dikke staart sloeg tegen zijn flanken. Een zwaar snuiven deed zijn keel en zijn flanken trillen. 'Ze dagen elkaar uit, maar ze gaan vannacht nog niet vechten,' zei Thyna. 'Wacht hier maar.'

Karin beet van opwinding op haar nagels. Ze had het warm en koud tegelijk. Ze zag hoe de oude vrouw over de open plek tussen de bomen door liep en op Etoile afging. De hengst hief wantrouwend zijn hoofd. Toen hij diep ademhaalde, verdween de welving van zijn hals. Thyna legde twee vingers tegen haar mondhoek en liet een snel, schril gefluit horen. Etoile spitste aandachtig zijn oren. Thyna floot nog eens, zachter nu en rustiger. Het was een vreemde, verleidelijke lokroep. Verbaasd zag Karin hoe de hengst een stap naar voren deed en toen nog een. Thyna bleef voortdurend hetzelfde lichte, melodieuze ritme fluiten. Etoile boog naar haar over. Zijn hoofd was nu op dezelfde hoogte als het hare. Langzaam hief Thyna haar arm en legde de geopende handpalm tegen zijn voorhoofd. Hoewel de hengst meestal terugdeinsde bij de minste of geringste beweging, deed hij geen poging haar te ontwijken. Toen ze echter haar hand tussen zijn oren legde, kromp hij in elkaar en trilde zo dat zijn benen knikten. Zijn spieren werden slapper. Het leek alsof hij dreigde te bezwijken onder een last. Opeens trok Thyna haar hand terug. Etoile bleef onbeweeglijk staan alsof hij verlamd was.

Thyna draaide haar hoofd naar Karin en riep: 'Kom nu maar.'

Karin liep als in trance op haar af.

'Kom,' zei Thyna. 'Leg de mecate maar om zijn nek. Wees maar niet bang, hij bijt heus niet.'

Een beetje ontdaan deed Karin wat haar was gezegd. Etoile deed zijn bek open, zodat ze zonder moeite de teugel kon aanleggen. Zijn gedrag was opvallend star. Er verschenen vochtvlekken op zijn flanken, die veel te snel open neergingen. Karin begreep er niets van, maar durfde niets te vragen.

'Nu kun je hem bestijgen,' zei Thyna.

Onhandig pakte Karin de manen beet. Thyna bukte zich, pakte Karins voet en hielp haar met een flinke zwaai op de rug van het paard. Ze voelde de trillende spieren, de natte huid. Het leek wel of zij en het paard dezelfde huid hadden.

'Spoor hem aan,' zei Thyna.

Aarzelend drukte Karin haar knieën in de trillende flanken. Rustig, maar aarzelend deed de hengst een stap voorwaarts. Ze liet hem langs het moeras lopen en toen ze zich wat zekerder voelde, dreef ze hem aan met een lichte druk van haar hak. Etoile versnelde zijn pas, gehoorzaamde en boog naar rechts en naar links. Steeds meer voelde Karin zich één worden met het dier. Haar knieën, schouders en heupen volgden zijn bewegingen. Karin vergat Thyna, ze vergat alles wat er buiten hen tweeën gebeurde. Een bepaalde druk van haar hakken deed de hengst vooruit stuiven. De wapperende manen, die naar algen en zout roken, waaiden Karin in het gezicht. Ze had het gevoel dat ze over het gras zweefde. De open plek was echter te klein, het kreupelhout vormde een ondoordringbare hindernis. Karin trok licht aan het touw. Etoile vertraagde zijn pas, keerde en liet zich geduldig naar de plaats leiden waar Thyna stond te wachten. Ademloos, met kloppend hart hield Karin voor haar stil.

Thyna knikte tevreden. 'Je kunt hem zonder enig gevaar berijden. Doe met hem wat je wilt. Hij zal je altijd gehoorzamen. Vergeet alleen niet dat hij zijn eigen heer moet blijven. Je mag hem nooit zadelen of tomen.'

Met droge mond durfde Karin nu eindelijk te vragen: 'Heeft... heeft u hem gehypnotiseerd?'

'Gehypnotiseerd?' herhaalde de oude vrouw onverschillig. 'Wij zigeuners kunnen dieren temmen, maar zonder hun trots te kwetsen.'

'Waar heeft u die gave vandaan?'

'Van mijn moeder en die heeft het weer van haar moeder.' Karin zag hoe een schaduw over haar gezicht ging. 'Ik heb geen dochter die ik het kan leren. Ik heb een zoon, maar zonen tellen niet. Mannen bouwen de wereld op of verwoesten haar. Alleen vrouwen weten oeroude geheimen te bewaren...'

Karin staarde haar onthutst aan. Er waren momenten waarop ze de oude vrouw luguber vond. Thyna moest het gevoeld hebben, want ze lachte even.

'Wees maar niet bang, meisje. Ik heb dit voor jou gedaan, omdat ik je aardig vind. Je hebt respect voor de dieren, die waardevoller zijn dan het merendeel van de mensheid. Laat hem maar gaan. Het wordt tijd om terug te gaan naar de "Mas".'

Karin had het gevoel dat ze droomde. Voorzichtig liet ze zich op de grond glijden. Etoile legde zijn hoofd tegen haar schouder. Hij transpireerde niet meer. Zijn huid was ruw en droog. Karin streelde met een teder gebaar zijn neusvleugels, terwijl ze hem het touw afdeed.

'Ga maar,' fluisterde ze.

De hengst snoof, schudde met zijn manen, draaide zich om en draafde naar zijn kudde. Karins ogen straalden.

'Hoe zal ik hem ooit terugvinden?' vroeg ze toen.

'Maak je geen zorgen,' antwoordde Thyna. 'Hij is degene die jou zal zoeken.' Opeens stond ze doodstil, haar gelaatstrekken spanden zich en haar neusvleugels trilden. Ze luisterde. Karin vermoedde meer dan dat ze de woorden hoorde: 'Daar komt iemand...'

Karin kreeg het ijskoud. Er knakten twijgjes. In het donker kabbelde water. De oude vrouw keek en luisterde.

Opeens ontspande haar gezicht en haar ogen fonkelden.

'Kom dan!' riep Thyna toen.

De twijgjes kraakten weer. Een schaduw, donker als de nacht, maakte zich los van de bomen en kwam aarzelend dichterbij. Karin kon haar ogen niet geloven toen ze Mireille herkende.

Het ijzige gevoel verdween en haar gezicht werd opeens warm. Ze stond als aan de grond genageld en kon geen woord uitbrengen. Mireille leek net zo ontdaan, maar om een totaal andere reden, zoals opeens tot Karin doordrong.

Thyna's stem verbrak de stilte: 'Heb je het gezien?'

Mireille knikte afwezig.

'Des te beter,' zei de oude vrouw.

Langzaam kwam Mireille dichterbij. In het licht van de maan keek ze Karin aan, alsof ze haar voor het eerst zag.

'Dus... dus jij hebt Etoile bereden!'

'Ik heb hem ook verbonden toen hij gewond was,' bekende Karin nu. 'Ik durfde het niet te vertellen...'

Mireille lachte nerveus. 'Toen ik erachter kwam dat jij 's nachts weggegaan was, heb ik eerst geprobeerd je om te praten, maar je zei niets. Toen heb ik vannacht maar gedaan alsof ik sliep...'

'Dat is je goed gelukt,' zei Karin. 'Ik ben er echt in getrapt.'

Mireille lachte. 'Je weet niet hoe moeilijk dat was! Toen je zo dicht bij mijn gezicht kwam, had het niet veel gescheeld of ik was in lachen uitgebarsten. Toen je weg was, heb ik Follet gezadeld en ben ik achter je aangegaan. Eerst wilde ik je verrassen toen je aan het zwemmen was, maar toen kwam Thyna en gingen jullie met de boot. Ik heb Follet op het strand achter moeten laten en een enorme omweg moeten maken om het moeras. Gelukkig ken ik de streek!'

Bewonderend legde Mireille haar handen op Karins schouder. 'En jij hebt die gekke hengst getemd!'

'Hij is niet gek!' riep Karin.

'Dat weet ik,' stelde Mireille haar gerust. Ze keek opeens verwijtend. 'Waarom heb je niets tegen mij gezegd? Ik had je toch geholpen...'

'Ik dacht... ik dacht dat je me uit zou lachen,' gaf Karin verlegen toe.

'Ik jou uitlachen?' Mireille keek Thyna aan met gespeelde verontwaardiging: 'Daar komt er een argeloze toeriste, die zoekt een paard uit dat geen *gardian* durft aan te raken en in een mum van tijd is hij zo mak als een lammetje!' 'Het is de hengst die haar heeft uitgezocht,' merkte Thyna op. 'Als Etoile Karin instinctief af zou wijzen, zou zelfs ik daar niets aan hebben kunnen veranderen.' Ze keek Mireille aan met haar donkere ogen. Bijna bruusk zei ze toen: 'Vertel je broer maar dat het spelletje uit is.'

'Alain... hoe moet ik het hem duidelijk maken?' zuchtte Karin. Ze zaten nu weer op hun eigen paard en reden samen terug in de vredige stilte, die vooraf gaat aan de ochtendschemering. Thyna had hen met de boot teruggebracht tot aan het strand. Daarna was ze verdwenen in de nevel van de aankomende dag.

'Je vertelt hem gewoon de waarheid,' antwoordde Mireille. 'Zijn eigendunk zal een flinke klap krijgen, maar hij zal niet om het feit heen kunnen dat Etoile van jou is.'

'Maar hoe kan ik dat geloven?' stamelde Karin.

'Ben je vergeten wat tante Justine beloofd heeft? Als het je lukt Etoile te berijden, is hij van jou. Dat weet je toch nog wel?' Een bijna kinderlijke uitdrukking van ongeloof en verbazing tekende zich af op Karins gezicht. Die uitspraak had ze nooit serieus genomen. 'Denk je dat ik tante Justine ervan kan weerhouden om Etoile te verkopen?'

Mireille haalde haar schouders op. 'Etoile is niet gek en dus is er geen enkele reden meer voor haar om hem te laten gaan. En maak je niet druk om Alain. Ik help je wel.'

Ze knikte Karin glimlachend toe. Karin las waardering en trots in haar blik. Voor de allereerste keer werd ze zich bewust van haar geluk. Het wederzijdse vertrouwen dat er nu was tussen de grote, witte hengst en haar, was geen droom. Karin voelde nog aan haar handen en lippen de scherpe, zilte geur van zijn manen. Ze sloot haar ogen van vermoeidheid en verlangde naar slaap, alsof ze bang was dat de zon haar nachtelijke avontuur zou oplossen als een mistflard. Maar de horizon verkleurde al. Achter de meren was het rood van de naderende ochtend te zien.

14

De ochtendzon scheen door de kieren van de luiken en deed de aardewerken en koperen potten op de brede schoorsteenmantel schitteren. Regine liep heen en weer met een pot verse koffie, vers brood en frambozenjam.

'Is tante Justine al naar Aigues-Mortes?' vroeg Mireille bezorgd aan haar. 'Ik hoorde de landrover al voor zevenen.'

'Ze wilde vroeg bij de garage zijn,' antwoordde Regine. 'Er is iets niet in orde met de koppeling.'

Mireille beet gretig in een broodje. Karin glimlachte opgelucht naar haar.

Alain sloop met verwarde haren en slaperige ogen de trap af. Hij liet zich op de eerste de beste stoel vallen en schonk zichzelf met een nors gezicht een kop koffie in. De twee meisjes keken elkaar aan. Mireilles blik zei: 'Vertel nou!' Karins smekende ogen antwoordden: 'Nog niet!'

Er kwam een motorfiets aan knetteren: de postbode. Zijn komst zorgde voor afleiding. Regine bood hem koffie aan en praatte een poosje met hem.

Er was een brief voor Karin uit Zürich. Haar moeder schreef: 'Ik weet dat je in de vakantie wel wat anders aan je hoofd hebt dan je ouders te schrijven, maar we wachten nog altijd op de beloofde ansichtkaart. We zullen ons maar troosten met het aloude spreekwoord dat geen bericht goed bericht betekent, en nemen aan dat verder alles in orde is.'

Dit alles gevolgd door de gebruikelijke vermaningen: niet te lang in de zon, niet je natte bikini aanhouden (om nierklachten te voorkomen), geen ongewassen fruit eten. Haar vader had eronder gezet 'Groeten en kussen voor mijn meisje', waarna haar moeder besloot met een P.S. 'Hier in Zürich regent het'.

Karin vouwde de brief en glimlachte. Zürich leek haar net zo ver weg als de maan. Ze wist natuurlijk wel dat er eens een eind zou komen aan de vakantie en dat dan het dagelijkse leven en de school weer zouden beginnen. Ze wist echter ook dat het nooit meer zo zou zijn als vroeger.

De postbode drukte zijn pet op zijn hoofd en ging weer. Het geluid van zijn knetterende motor stierf weg. Karin speelde zwijgend met een broodkruimeltje en toen ze opkeek, zag ze Alains onderzoekende blik.

'Je ziet er niet uit. Ik zou bijna denken dat je vannacht geen oog dichtgedaan hebt...'

Nu was het moment gekomen. Karin raapte al haar moed bij elkaar en deed haar mond open. Ze deed hem echter meteen weer dicht omdat er in snel tempo een ruiter de 'Mas' naderde. Het paard stoof het binnenplein op. Vanuit het raam zagen ze hoe Manuel, nagenoeg zonder het dier te stoppen, zich voor de deur uit het zadel liet glijden.

'Heilige Maria,' riep Regine uit. 'Die heeft haast!' De deur vloog open en hijgend kwam Manuel binnen. Hij was buiten adem en zijn gezicht was bedekt met zweetdruppels. 'Waar is de bazin?'

'Naar de garage,' antwoordde Regine. 'Ze kan elk moment terugkomen. Wat is er g...?'

De *gardian* slaakte een vloek. 'De duivel is in Etoile gevaren. Etoile heeft Charbon aangevallen!'

Karin en Alain keken elkaar verbijsterd aan. Mireille slaakte een kreet. 'Mijn hemel, hij vermoordt hem!'

'Vlug, kleintje,' zei Manuel tegen haar. 'Haal de bazin. Zij moet zeggen wat we nu moeten doen.'

Mireille holde weg. Ze maakte Follet los en slingerde zich, zonder het paard te zadelen, op haar rug. Met een paar stappen was ze op volle snelheid en verdween, met achterlating van een stofwolk, uit het zicht. Alain pakte Karin bij de arm.

'Geef mij Rose!' brulde hij. 'Je weet dat ik niet met Caprice weg kan!'

Karin stond er wat verdoofd bij. Opeens rukte ze zich los en holde naar het afdak. Ze had nooit gedacht dat ze met één enkele sprong op een paard kon komen, maar het lukte haar. Toen ze zich voorover boog om Rose los te maken, sprong Alain naar voren en rukte de teugels uit haar hand. Regine kwam aanlopen om Caprice te kalmeren, die woedend aan zijn touw rukte.

'Houd je vast!' schreeuwde Alain.

Er spatten kiezelstenen op toen de merrie wegstoof. Ze vlogen achter Manuel aan, die er in gestrekte galop vandoor ging. Even schoot het Karin door het hoofd dat ze haar nek wel kon breken, maar ze had al haar aandacht nodig om in evenwicht te blijven, zodat ze er niet verder over na kon denken. Het was Alain die Rose aanspoorde en uit het paard haalde wat er uit te halen was.

Ondanks het vroege uur lag er een bedompte warmte over het gebied. Er hingen luchtspiegelingen over de weidse, zilte steppen. Als een grote, roze wolk fladderden opgeschrikte flamingo's over het water van een poel. 'Tussenland' noemden de *gardians* dit woeste gebied tussen zee en moeras. Het riet was naar beneden gedrukt door een onweersbui. Nu lag het, zover het oog reikte, te drogen in de zon. In deze verblindende, lichte vlakte vochten de beide hengsten.

De meedogenloze strijd had de beide dieren veranderd. Hun gehinnik klonk als een schor gebrul, ze draaiden hun lenige hals zo om elkaar heen dat ze een levende knoop vormden. De opengesperde kaken ontblootten gulzige, gele tanden. Er liep bloed over hun zwetende lijven. Op enige afstand verdrongen de merries zich om hun veulens, terwijl de *gardians* vergeefse pogingen deden in de strijd in te grijpen met zwepen en drietanden.

Karin wist niet hoe ze van het paard gekomen was, maar toen ze grond onder haar voeten voelde, knikten haar knieën. Ze klampte zich aan Alain vast. Hoe moest ze in dit dolgeworden dier het paard herkennen dat helemaal niet bang voor haar was? Nu zag ze alleen maar een kwijlende bek, verdraaide ogen, een rug die trilde van woede, en hoeven die dodelijke klappen uitdeelden.

'Weg met hem! Ze moeten uit elkaar!' schreeuwde Nicolas met schrille stem.

Constantin ging er zwaaiend met zijn zweep op af en naderde de beide paarden zo dicht als hij maar durfde. Het leer kwam op ruggen en flanken neer, maar de zweep kon niets uitrichten tegen de blinde razernij van de beide hengsten. Staand, dansend op de grond, dan weer steigerend, bijtend en slaand, vochten ze een strijd, die alleen kon eindigen met de dood van een van beide.

Heel even lieten ze elkaar los. Met schuimende bek taxeerden ze elkaar, schraapten met hun hoeven. Toen richtten ze zich weer in volle lengte op en gingen opnieuw op elkaar af.

Ontdaan zag Karin hoe Etoile zijn tanden in de hals van zijn tegenstander zette. De huid werd weggescheurd en het bloed stroomde langs de hals van Charbon. Het verbitterde gevecht eindigde toen Charbon met hangend hoofd achteruitweek. Hij trilde even. Zijn benen knikten, hij zakte door zijn knieën, terwijl er bloederig speeksel uit zijn mond liep. Vervolgens stortte hij languit in het riet.

In de verte klonk een motor. De landrover van tante Justine hobbelde over het zandpad. Mireille galoppeerde met Follet naast de grote stofwolk, die de auto achterliet. Met piepende remmen hield de landrover stil. Tante Justine sprong eruit en zag meteen dat Charbon met uitgestrekte benen en vreemd gekromde hals het einde nabij was. Nijdig keek ze naar Etoile, die met schuimende bek en bebloede manen uitdagend met zijn hoeven schraapte.

'Probeer die idioot te vangen!' beval ze.

Constantin gaf het bevel door, waarop Manuel, Jackie en Pierre met een touw in de hand aan kwamen lopen.

Etoile leek de bedoeling van de *gardians* geraden te hebben. Een langgerekt gehinnik ontsnapte zijn keel. Hij holde recht op de mannen af, die bij het zien van het aanstormende paard naar alle kanten wegstoven. In wilde galop schoot Etoile langs de *gardians* heen en ging het riet in, dat zich ritselend achter hem sloot.

Tante Justine vloekte halfluid. Ze draaide zich om en liep naar haar landrover. Toen ze terugkwam, had ze een geweer in haar hand. Ze liep naar Charbon, die met een glazige blik in zijn ogen nog altijd op de grond lag. Tante Justine legde haar hand om de trekker en richtte.

Karin draaide zich om en drukte haar gezicht in Alains schouder. Het schot scheurde de stilte kapot. Een zwerm vogels dwarrelde op uit het riet en maakte een rondje door de trillende lucht.

Karin hief haar hoofd en zag hoe tante Justine met grote passen op de landrover af ging. Ze wierp het geweer in de auto en gaf de *gardians* resoluut een teken. 'Vooruit! We hebben geen minuut te verliezen!'

Karin voelde hoe Alain trilde. Hij duwde haar weg en holde naar zijn tante, die al achter het stuur zat.

'Nee!' schreeuwde hij. 'Niet doen!'

Zwijgend en uiterlijk onbewogen startte ze de motor.

'Tante Justine, nee!'

'Maak dat je wegkomt!' snauwde ze hem toe. 'Hij heeft een van mijn kostbaarste hengsten vermoord. Nu is het mooi geweest!'

'Maar je hebt hem aan mij beloofd!' riep Alain wanhopig uit.

Hij stond op de treeplank en probeerde het portier open te trekken. Tante Justine reed weg zonder hem nog een blik waardig te keuren. Door de plotselinge ruk schoot Alain naar achteren. Hij verloor zijn evenwicht en viel op de grond. In galop stoven de *gardians* langs hem heen, waardoor Alain in een gelige stofwolk werd gehuld. Pas toen kreeg Karin haar tegenwoordigheid van geest terug.

'Waar gaan ze naartoe?' riep ze.

'Tante Justine gaat achter Etoile aan om hem neer te schieten!' hijgde een spierwitte Mireille, die haar uiterste best deed Follet tegen te houden. Toen liet ze hem de vrije teugel en galoppeerde achter de *gardians* aan.

'Alain!' riep Karin. 'Wat doen we...?'

Hij pakte haar bij de arm en trok haar mee. Ze holden naar Rose toe. Alain hielp Karin opstijgen en pakte toen de teugels.

'Ik weet een kortere weg!' hijgde hij.

In razend tempo stuurde hij Rose door het riet. Karin drukte haar bovenbenen tegen de bezwete flanken van de merrie. Er waaide een warme wind langs haar gezicht. Ze haalden de landrover in, die als een enorme, onhandige kever over de weg schommelde en een wolk van stof achterliet. De *gardians* reden in een wijde halve kring. Etoile had een voorsprong, maar de afstand verminderde langzaam. Hij naderde kreupelhout van brem en mastiekbomen aan de oever van een klein meer. In het ondiepe water stonden palen, waaraan visnetten te drogen hingen. Op de andere oever breidde zich een zandvlakte uit die tot de zee reikte.

Tante Justine had de auto stilgezet. Nu stond ze ernaast met haar geweer in de hand, terwijl de *gardians* op hun paard de kring langzaam sloten om de hengst de weg af te snijden.

Alain liet Rose in draf overgaan. Hij legde zijn hand boven zijn ogen en keek naar alle kanten.

'Ze willen hem uit het struikgewas drijven en naar het strand jagen,' hijgde hij. 'Op een vrije vlakte kan tante Justine hem onder schot krijgen. Het enige dat hij kan doen, is het meer overzwemmen.'

'Konden we hem dat maar duidelijk maken,' kreunde Karin.

Ze waren hun rivaliteit, hun geschillen helemaal vergeten. Op hun gezichten stond nu dezelfde angst en dezelfde vastberadenheid te lezen.

'Ik weet iets!' riep Alain aarzelend uit. 'Het is riskant, maar we hebben geen andere keus!'

Vlakbij het kreupelhout sprong hij van het paard en gebaarde Karin dat ook te doen. Ze volgde hem door het riet. Stof prikkelde haar keel en ze moest hoesten, zodat haar neus volliep en haar ogen zich vulden met tranen.

Opeens stopte Alain.

'Daar heb je hem!' fluisterde hij. 'Het lijkt me beter dat we nu niet verdergaan.'

Karin rekte haar nek om het rietland te kunnen overzien. Van alle kanten kwamen de *gardians* aanrijden. Steeds kleiner werd de kring. Ondanks de afstand zag Karin heel duidelijk de gedaante van tante Justine aan de rand van het pad. De zon blikkerde op de loop van haar geweer.

'Die zal opkijken!' zei Alain.

Karin zag hoe hij een doosje lucifers uit zijn zak haalde. Opeens begreep ze wat hij van plan was en beet geschrokken op haar lip. Een geluid... Ze keken allebei om. Het riet ritselde, toen Mireille in galop op hen afkwam. Haar gezicht was bedekt met stof en zweet.

'Doe niet zo dwaas!' brulde ze. 'Jullie zitten precies in het schootsveld!'

'Maak dat je wegkomt,' snauwde Alain. Hij deed zijn hand achter zijn rug, maar het was te laat. Mireille had de lucifers gezien!

'De wind komt precies uit de goede richting en door de rook wordt Etoile naar het meer gedreven...'

'Je bent hartstikke gek!'

Stap voor stap deinsde Alain achteruit voor de merrie, die Mireille op hem af stuurde.

'Ken jij een andere manier? Verdwijn, zei ik toch!'

Ze sprong op de grond en liet zich op haar broer vallen. Ze vielen samen in het riet. Mireilles vingers grepen naar de hand waarin Alain de lucifers hield. Met een ruk trok hij zich los. Ze liet zich met haar hele gewicht op hem vallen en drukte hem op de grond. Ze vochten allebei om boven te komen. Eindelijk lukte het Alain zijn zuster af te schudden. Verbeten probeerde hij een lucifer aan te strijken. Mireille pakte hem bij zijn hemd en gaf hem een klap in zijn gezicht. Alain tuimelde achterover. De brandende lucifer viel uit zijn vingers in het dorre gras. Een dun sliertje rook steeg op, toen vatte het gras vlam. Mireille liet zich op haar buik erop vallen om het vuur te verstikken. Alain pakte haar enkels en trok haar terug. Mireille trappelde, draaide zich om en sloeg wild om zich heen.

'Karin!' brulde ze. 'Doof het vuur!'

Karin keek naar de lekkende vlammen. Het riet knisperde. Een blauwige nevel steeg op. Mireille en Alain, verfomfaaid, vol krassen en buiten adem, stonden er zwijgend naar te kijken. Hoewel het droge riet eigenlijk brandde als een fakkel, verhinderde de grond, die nog nat was van de regen, dat het vuur zich snel verspreidde. Wel ontwikkelde zich een scherpe rook, die omhoog kringelde. De dieren waren al opgeschrikt. Een zwerm spreeuwen fladderde op uit het riet. Een klein knaagdiertje liep opgewonden om de omgewoelde aarde.

'De paarden,' zei Mireille met toonloze stem. Ze probeerde de merries, die achteruitdeinsden, te kalmeren.

Karin keek nog altijd gebiologeerd naar de knetterende vlammen, die uit het riet sloegen. Dikke flarden rook dreven naar de struiken waar Etoile zich verborgen hield.

'Nu zal hij wel door het meer gaan,' zei Alain met een tevreden grijns. 'Tante Justine is haar doelwit kwijt!'

Uit de verte klonken opgewonden kreten van de *gardians*. Mireille had moeite met de merries, die in panische angst trapten en opzij sprongen.

Alain pakte Karin bij de arm. 'Kom mee!'

Karin deed een stap achteruit. De hitte gloeide op haar gezicht. Opeens klonk uit het struikgewas een langgerekt, hees gehinnik. Met een heftige beweging rukte Karin zich los. Bliksemsnel doorzag ze wat er aan de hand was: Etoile, in paniek door het vuur, verblind door de rook, zocht een uitweg uit het kreupelhout waarin hij gevangen-zat.

'Wegwezen hier,' drong Alain aan. 'Hij redt zich nu wel alleen!'

Karin bleef doodstil staan. Weer klonk dat rauwe, snui-vende gehinnik. Hij stikt, dacht ze angstig, of hij verbrandt levend! Ze probeerde met haar blik het kreupelhout te doorboren. Er lekten vlammetjes aan de onderste struiken, de bijtende rook verspreidde zich steeds verder. Opeens maakte Karin zich los uit haar verstarring. Verbijsterd keek Alain toe hoe ze op het vuur afholde. In minder dan geen tijd was ze in het struikgewas verdwenen.

Gebukt baande ze zich een weg door het kreupelhout. De grond was zacht en glibberig. Ze gleed uit, viel lang-uit, krabbelde weer overeind. Voor haar steeg, langzaam draaiend, een witte rookwolk op. Zonder te aarzelen, stapte ze erin en drukte instinctief een slip van haar T-shirt voor haar mond en haar neus. Ze was er al doorheen. Haar ogen traanden en ze hoestte. Hijgend en gehavend zocht ze haar weg verder.

'Etoile, waar zit je?'

De rookwolk haalde haar in... Ze hield haar adem in, viel tegen takken, verdwaalde in het struikgewas, bleef met een voet in het moeras steken.

'Etoile, ik ben het! Etoile!'

Daar... dichtbij kraakten takken. Nat van het zweet, be-dekt met modder, schuim op de bek en met rollende ogen, dook de hengst op uit de rookslierten. Hij had haar gezien, verwachtte hulp en redding van haar.

Karin had geen touw om hem te leiden, maar wat gaf het? Ze holde op hem af. Met haar hand hield ze zijn dikke manen vast.

In één sprong zat ze op zijn rug en dreef hem met knieën en hakken aan. 'Vooruit dan!'

Heel even stampte de hengst aarzelend, wiegde besluiteloos van voren naar achteren. Toen nam hij een geweldige sprong in de richting, waarin Karin hem stuurde. Ze legde haar lichaam tegen het paard, sloeg haar armen om zijn hals. De terugzwiepende takken slierden over haar rug en haar schouders. Ze hoorde takken kraken, geknisper. Voor haar verlichtte een blauwige nevel de rooksliert: zuivere lucht, het meer! Met een enorme sprong leek Etoile los te komen van de grond. Even meende Karin te zweven. Water spatte klaterend op, toen klonk een gelijkmatig geplas: Etoile waadde tot zijn buik door het water. Karin richtte zich op zonder de manen los te laten. Ze voelde hoe de hengst met krachtige slagen het meer overzwom. Eindelijk hadden zijn benen weer vaste grond onder de voeten. In een paar passen was hij bij de oever, waar hij drijfnat omhoogkwam. Tegen een achtergrond van steeds groter wordende wolken, die het riet en het struikgewas omhulden, werden Etoile en zijn berijdster voor iedereen zichtbaar. Karins haren hingen in natte slierten langs haar gezicht, haar armen bloedden waar de takken haar huid hadden opengehaald, haar benen zaten onder de modder en haar T-shirt was gescheurd, maar ze had een bijzondere uitstraling. Op haar gezicht lag een uitdrukking van rustige kalmte.

Tante Justine keek verrast toe hoe Karin in een gelijkmatige galop door het riet reed. Ze zette de kolf van haar geweer op de grond en de mondhoeken in haar gebruinde gezicht trilden. In haar blik stonden talloze vragen te lezen. Waar haalde dit verlegen stadsmeisje de moed vandaan om op de wildste hengst van haar kudde te rijden? Wat was haar geheim? Die hengst had zojuist zijn rivaal gedood en nog maar net had ze hem willen neerschieten!

De *gardians* die ondertussen het vuur, dat al tot het moeras was gekomen, hadden weten in te dammen, keken verbaasd en sprakeloos naar Karin. Trots en tegelijk verlegen reed ze verder als in een droom. Ze zag hoe Mireille en Alain haar aankeken, maar ze stopte niet bij hen. Nog niet! Ze stuurde de hengst naar tante Justine en bracht hem daar tot stilstand. Alleen aan het trillen van zijn oogleden en het enkele trekken van een spier was te zien hoe diep zijn schuwheid en onrust geworteld waren.

Eindelijk zei tante Justine nu iets, met voor haar doen ongewoon zachte stem. 'Wel Karin, we wachten op een verklaring.'

Karin boog haar hoofd en wikkelde een streng van de natte manen om haar vinger. 'Etoile kende me. Ik... was degene die hem verzorgd heeft toen hij gewond was. Ik zag hem elke nacht op het strand. Maar ik heb het alleen aan Thyna te danken dat ik hem kan berijden...'

'Die oude heks?' vroeg Pierre.

Tante Justine negeerde hem. 'En verder?' vroeg ze aan Karin.

'Thyna legde haar hand op zijn voorhoofd en toen werd

175

Etoile opeens heel gedwee. Ik weet niet wat ze met hem gedaan heeft.' Ze hief haar hoofd en keek tante Justine recht in de ogen. 'U wilde hem neerschieten omdat hij Charbon had gedood. Maar hij had geen keus: Charbon betwistte hem de kudde! Als Etoile zijn rivaal niet had overwonnen, zou hij gedood zijn.'

Karins besmeurde, bezwete gezicht kreeg een smekende uitdrukking. 'Doet u hem alstublieft niets!' Toen gleed haar blik naar Alain, die doodstil op Rose zat en niets leek te horen of te zien.

'Neem me niet kwalijk,' zei ze alleen maar tegen hem. 'Het was niet goed dat ik het je niet verteld heb.'

Alain haalde met een uitdrukkingsloos gezicht zijn schouders op. De *gardians* zwegen.

Tante Justine keek peinzend naar de grote hengst. Ze gaf Constantin, die achter haar stond, haar geweer en deed een stap in de richting van Etoile. En toen nog een. Het paard bewoog niet. Tante Justine legde haar ene hand om zijn onderkaak en haar andere op zijn voorhoofd. Heel even trilde Etoiles huid. Hij bleef echter doodstil staan, terwijl tante Justine hem monsterde. Langzaam verdween het trillen. Hij boog zijn indrukwekkende hoofd en snuffelde aan haar schouder.

Tante Justine slaakte een zucht. Ze zei halfluid als tegen zichzelf: 'Hij is mak... en hij is beslist niet gek...' Toen deed ze een stap opzij. Haar stem klonk bijna hard toen ze Karin aankeek: 'Laat hem nu maar gaan! Ik neem mijn beslissing later.'

15

Karin en Mireille zaten alleen aan tafel en dronken zwijgend van hun sinaasappelsap. Regine was in de keuken bezig, waar ze met pannen rammelde. Een geur van uien en kruiden verspreidde zich door het huis. Het liep tegen de middag. Karin dronk haar tweede glas in één teug leeg en stak haar hand weer uit naar de fles. Ze had enorme dorst. Ze had gedoucht, pleisters op haar schrammen gelegd en schone kleren aangetrokken. Haar huid brandde als vuur. 'Je zou bijna denken dat je door een horde wilde katten aangevallen bent,' had Mireille gezegd toen ze samen op Follet naar huis reden.

Moedeloos dacht ze aan Alain, aan haar poging tot verzoening en aan zijn vijandig stilzwijgen.

'Het heeft geen zin met hem te praten,' had Mireille gezegd. 'Gun hem de tijd.'

Karin zat vol wroeging. 'Begrijp je dan niet dat het niet eerlijk is? Hij was ook dol op Etoile!'

Mireille liet zich niet van de wijs brengen. 'Dat denk jij! Ik had eerder de indruk dat hij gehakt van hem wilde maken!'

Karin grinnikte mat. Er was nog een andere vraag die haar dwarszat. Hoe zou het besluit van tante Justine uitvallen? Ze had Manuel de landrover gegeven en was met Constantin en Nicolas weggereden zonder te zeggen waarheen. Karin en de anderen moesten in de 'Mas' op haar wachten en nu was ze al bijna twee uur weg. Opnieuw betrapte Karin zich erop dat ze op haar nagels beet. Met een schuldbewust gezicht verborg ze haar handen onder tafel.

'Waar zou ze kunnen zijn?' zuchtte ze.

'Hoe moet ik dat weten?' vroeg Mireille.

'Denk je dat het over Etoile gaat?'

'Dat lijkt me niet zo moeilijk te raden!'

Karin voelde een knoop in haar maag. 'Misschien schiet ze hem nu wel neer!'

'Als ze dat wilde doen, had ze het al lang gedaan,' antwoordde Mireille ongeduldig. 'Karin, rustig toch! Ze heeft toch gezegd dat ze een beslissing zou nemen!'

'Dat is wel zo, maar welke beslissing?'

'Vraag het aan Thyna. Ik ben geen helderziende!'

De deur ging open. Alain, die het verband van Caprice had verwisseld, kwam binnen zonder de twee meisjes een blik waardig te keuren. Hij droogde zijn natte handen af aan zijn spijkerbroek en floot schijnbaar onaangedaan.

'Alain...' begon Karin aarzelend.

Ze hief luisterend haar hoofd. Er klonk hoefgetrappel op het kiezelpad. Mireille holde naar het raam en gluurde door de luiken.

'Tante Justine is terug!'

Karin bleef zitten en verfrommelde haar zakdoek. Haar hart bonsde in haar keel. Even later kwam tante Justine binnen, nam haar hoed af en gooide die op de eerste de beste stoel.

'Het is warm buiten,' bromde ze. 'Ik moet echt iets drinken. Nee, geen sinaasappelsap. Whisky, maar wel in de juiste verhouding!' Mireille liep naar de keuken om ijsblokjes te halen. Toen ze terugkwam, had ze een nieuwsgierige Regine in haar kielzog. Zwijgend wachtte iedereen tot tante Justine in alle rust haar whisky had klaargemaakt. Ze nam een slok. Toen liet ze zich in een stoel vallen en keek Karin aan.

'Je verhaal is in elk geval waar,' zei ze. 'We zijn naar Thyna geweest en ik heb met haar gepraat. Je kunt van mening verschillen over haar filosofische beschouwingen, maar het is wel waar dat Etoile zich door haar heeft laten temmen. Het blijft me echter een raadsel of dat mens hem inderdaad behekst heeft of dat het aan jouw argeloosheid te danken is, dat hij zijn afkeer van mensen heeft kunnen overwinnen.'

Ze nam weer een slok whisky. Alleen het tikken van de staande klok was te horen. Na een korte stilte sprak tante Justine verder. 'Ik heb in mijn leven heel veel merkwaardige dingen gezien, maar dit is het meest bijzondere wat ik ooit heb meegemaakt. Neem hem dus maar!' zei ze opeens tegen Karin, die haar verbouwereerd aankeek.

'Maar... Alain mocht Etoile toch hebben...' stotterde ze. Opnieuw stilte. Tante Justine liet de ijsblokjes door haar glas draaien. Regine draaide zich om en begon geluidloos de tafel te dekken.

'Ik heb ooit gezegd dat Etoile voor degene zou zijn die

hem kon berijden,' zei tante Justine. 'Alain, jij hebt je kans gehad, maar die niet gebruikt, jongen.' Haar blik ging weer naar Karin. 'Ik houd mijn belofte: van nu af aan is Etoile van jou! Je begrijpt natuurlijk dat je hem niet mee kunt nemen, maar hier zal hij altijd voor je klaarstaan en ik verzeker je dat ik geen haar van zijn manen zal krenken. Mijn huis staat op elk moment voor je open.'

Karin keek tante Justine met nietsziende ogen aan. De betekenis van haar woorden drong maar heel langzaam tot haar door. Etoile was van haar! Hoe kon dat? Waar had ze dat aan te danken? Haar keel leek dichtgesnoerd. Ze kon geen geluid uitbrengen. Het beeld van tante Justine met een glas in de hand, werd wazig, verdween achter de tranen van vreugde, die in haar ogen welden.

Een luid geraas deed haar uit haar gedachten opschrikken. Ze zag hoe Alain zijn stoel omgooide en de kamer uit rende alsof de duivel hem op de hielen zat.

180

16

Achter het hoofdgebouw lag een schuur waar materiaal, paardenspullen en visnetten werden bewaard. Daar zette Alain ook zijn brommer. Karin bleef aarzelend op de drempel staan. Het duurde even voor haar ogen na het felle zonlicht gewend waren aan de schemering van de schuur. Eindelijk zag ze Alain. Hij zat op een stapel lege graanzakken. Ze stapte naar binnen en ging naast hem zitten. Haar armen sloeg ze om haar knieën. Na een poosje zei ze: 'Weet je, ik wilde het paard niet van je afpakken. Het is vanzelf gegaan.'

Alain keek voor zich uit en bleef zwijgen.

'Ik had het je moeten vertellen,' ging Karin verder, 'maar ik heb het tegen niemand gezegd. Ook niet tegen Mireille. Ze is me die nacht gevolgd en heeft zo alles ontdekt.'

Nog altijd bleef Alain zwijgen. Karin deed een nieuwe poging: 'Als je wilt, mag je...'

Hij reageerde met een heftig schudden van zijn hoofd. 'Als ik wil, mag ik wat? Op jouw paard rijden als jij er niet bent?'

Ze beet op haar lip. Dat had ze inderdaad willen zeggen!

Verachtelijk spuwde hij zijn woorden uit: 'Nee, dank je wel! Houd die knol maar voor jezelf. Ik... ik zoek wel een ander paard uit. Dat beest interesseert me niet meer!'

'Goed,' antwoordde Karin rustig.

Er gingen opnieuw een paar seconden voorbij. Karin kon Alains koppigheid niet uitstaan. Ze gooide haar haren achterover en stond op.

Alain hief zijn hoofd en keek haar ongelukkig aan. 'Wat heb ik verkeerd gedaan?' vroeg hij hortend. Karin haalde diep adem. 'Je bent achter hem aangegaan en hebt hem bang gemaakt,' zei ze toen. 'Het is jouw schuld dat hij over het prikkeldraad sprong en zich verwondde. Je hebt hem willen temmen door geweld...'

'Zo ga je toch ook om met weerbarstige dieren?' viel hij haar koppig in de rede. 'Een paard moet voelen wie zijn baas is...'

'Een paard is een levend wezen net als jij en ik. Natuurlijk kun je hem met geweld je wil opleggen, maar daar heb je niet lang profijt van.'

'Wat een geklets!' Alain lachte gemaakt. 'Ben je gekomen om een stichtelijk praatje te houden?'

'Dat is mijn goed recht,' hield ze hem voor.

In de schemering ontmoetten hun blikken elkaar. Karin sloeg haar ogen niet neer. Alain bedacht dat ze onherkenbaar veranderd was, dat hij haar helemaal niet had gekend. Ze was inschikkelijk, maar zelfbewust. Lief, maar onverbiddelijk. Zacht, maar trots. En hij zag opeens in dat ze juist door haar zachtheid de sterkste van hen beiden was.

Moeizaam kwam hij overeind. Ze kwam nauwelijks tot zijn schouder. 'Het is wel heel dapper dat je het vuur in ging,' zei hij na een korte stilte.

'Dat vind jij!' antwoordde ze.

Alain sloeg zijn ogen neer. Hij ging met zijn hand over zijn voorhoofd. 'Ik wilde gewoon niet dat hij neergeschoten zou worden...' Hij draaide zich om. Er liepen tranen over zijn wangen, die beekjes vormden op zijn stoffige wangen. Hij veegde ze weg met zijn vuist.

'Heb je een zakdoek?' vroeg hij na een poosje met doffe stem.

Ze zocht in haar broekzak. 'Hij is wel vuil.'

'Geeft niet.'

Hij snoot zijn neus en ging met de zakdoek over zijn wangen. Opeens hieven ze allebei hun hoofd. Er klonk hoefgetrappel op de weg. De *gardians* kwamen eten.

'Kom, we gaan naar huis, want anders vragen ze zich af waar we blijven,' zei Alain.

'Dan denken ze natuurlijk dat we ruziën.'

'Ruziën?' vroeg Alain. 'Echt niet!'

Ze stonden vlak naast elkaar. Opeens tastten Alains handen naar de hare en ze duwde hem niet weg.

Ze keken elkaar aan met een glimlach op hun gezicht. En vervolgens barstten ze, als van een last bevrijd, uit in een bulderend geschater.

Mireille, die ongerust overal had gezocht, zag πhen hand in hand uit de schuur komen. Ze keken allebei wat verlegen, maar Mireille had tact. Ze stelde geen domme vragen, maar gaf een veelzeggende knipoog en maakte triomfantelijk het V-teken.